Philosopher et méditer avec les enfants

FRÉDÉRIC
LENOIR

Albin Michel

«Quand on est jeune, il ne faut pas hésiter à s'adonner à la philosophie, et quand on est vieux, il ne faut se lasser de philosopher. Car jamais il n'est trop tôt ou trop tard pour travailler à la santé de l'âme.»

ÉPICURE, *Lettre à Ménécée*

Sommaire

Prologue

«Maman, quand je pense que j'ai attendu 7 ans et demi pour faire de la philosophie!» s'exclame Julien en rentrant de l'école après son premier atelier philo dans le village corse de Brando.

Cet ouvrage raconte l'aventure enthousiasmante que j'ai menée avec des centaines d'enfants d'écoles primaires à travers le monde francophone – de Paris à Montréal en passant par Molenbeek, Abidjan, Pézenas, Genève, Mouans-Sartoux, Brando, Fontenay-sous-Bois ou Pointe-à-Pitre.

Les enfants ont cette capacité extraordinaire à questionner le monde, à s'interroger, à s'émerveiller, à réfléchir, à confronter leurs raisonnements, bref à philosopher. Comme le rappelait Montaigne, on devrait surtout proposer aux enfants, dès le plus jeune âge, d'avoir une tête «bien faite» et non pas une tête «bien pleine». Plutôt que d'assimiler des concepts (ce qui se fait actuellement en terminale), les enfants pourraient apprendre à débattre en respectant des règles, à développer l'esprit critique, le discernement, ainsi qu'une pensée personnelle reposant sur des arguments rationnels, et pas sur des croyances ou des opinions. C'est la raison pour laquelle je suis convaincu depuis longtemps qu'il faudrait commencer à philosopher non pas en classe de terminale, mais à l'école primaire... Or cela se pratique déjà, de manière certes marginale, depuis une trentaine d'années, et je l'ignorais !

Cette aventure a donc commencé en juin 2015, avec la rencontre de Catherine Firmenich, fondatrice et directrice de l'école La Découverte, à Genève. Lors d'une conférence, j'évoque cette question qui me tient tant à cœur. À la fin de mon intervention, Catherine vient me voir et me lance : «On le fait ! Nous pratiquons depuis plusieurs années des ateliers philo avec des enfants de 4 à 11 ans.» Emballé par l'idée d'y assister, j'accepte avec enthousiasme un rendez-vous pour la rentrée. J'assiste alors à un atelier avec des enfants de 7-8 ans, mené par leur institutrice, Bernadette Raymond. Comme les autres enseignants de l'école, Bernadette utilise la méthode Lipman, du nom du philosophe américain pionnier des ateliers philosophiques pour enfants dans les années 1970. Sa méthode a été développée dans le monde francophone, notamment par Michel Sasseville, professeur à l'université Laval de Montréal. Elle consiste à faire réfléchir et débattre les enfants à partir d'un texte. Michel Sasseville était venu en personne former les enseignants de l'école. Ce jour-là, les enfants commentent un texte tiré de l'histoire de Helen Keller, où Helen, devenue aveugle, sourde et muette à la suite d'une maladie, affirme qu'elle se sent inutile. «Pourquoi se sent-elle inutile?» questionne Bernadette. S'ensuit une discussion animée, mais très ordonnée, chaque enfant levant la main pour prendre la parole, et riche de quelques débats et réflexions. Je suis profondément ému. Ce que j'avais imaginé existe et fonctionne bien.

J'ai seulement un doute sur la nécessité de partir d'un texte : pourquoi ne pas directement poser une question à la manière socratique : « Qu'est-ce qu'être utile ? » Je prends alors la décision de poursuivre cette expérience en animant moi-même des ateliers où seraient débattues de grandes questions philosophiques sur le bonheur, l'amour, le vivre-ensemble, le sens de la vie, la mort, les émotions, la justice, etc.

Pendant deux mois, je pose les jalons de ce voyage en compagnie de petits philosophes, contactant des enseignants ou des directeurs d'école en France, en Suisse et en Belgique. Comme j'avais aussi des voyages programmés en Guadeloupe, au Canada et en Côte-d'Ivoire, je décide d'organiser des ateliers dans ces lieux lointains afin de faire l'expérience de la grande diversité culturelle au sein de la francophonie. De janvier à juin 2016, je me consacre totalement à ces ateliers : j'en mène une cinquantaine dans dix écoles et dix-huit classes différentes. Je rencontre ainsi plus de quatre cents enfants, certains trois ou quatre fois (à Molenbeek, Genève, Pézenas, Paris, Brando, Mouans-Sartoux) afin de pouvoir observer leur évolution.

Avant même le démarrage de ces ateliers m'était venue une autre idée. Un ami, Jacques de Coulon, qui a étudié la philosophie en même temps que moi au début des années 1980 à l'université de Fribourg (Suisse), avait entamé il y a une vingtaine d'années une autre expérience novatrice dans un collège qu'il a longtemps dirigé à Fribourg : la pratique de la méditation avec les adolescents. Jacques m'avait dit à quel point l'introduction de cette pratique quotidienne dans toutes les classes avait bouleversé la vie des élèves... et simplifié celle des enseignants! La méditation, conçue ici comme pratique laïque de l'attention, permet aux jeunes de calmer l'agitation de leurs pensées, d'être davantage présents et concentrés.

Pratiquant moi-même, depuis plus de trente-trois ans, cette forme de méditation «de pleine présence», je décide de faire précéder les ateliers philo d'une petite séance, avec l'objectif de rééduquer l'enfant à la réceptivité sensorielle, de lui apprendre à ne pas suivre le fil ininterrompu de ses pensées, à être présent dans l'instant.

Le résultat de ces ateliers a dépassé mes espérances. Comme je le rapporterai plus loin en citant des témoignages, les enfants ont été enthousiasmés par ces deux exercices. Au bout de deux ou trois séances de méditation en classe, la plupart d'entre eux ont spontanément continué de pratiquer chez eux, souvent pour se calmer lorsqu'ils étaient submergés par une émotion, la colère par exemple. Plusieurs enseignants, impressionnés par l'efficacité de cette pratique de l'attention, ont décidé de la poursuivre quotidiennement, ou bien lorsqu'ils sentent que les élèves sont agités et énervés, pour les aider à se calmer et à se recentrer.

Les ateliers philo passionnent les enfants pour plusieurs raisons. D'abord parce que c'est un des seuls espaces où ils peuvent dire ce qu'ils pensent sans répéter un savoir appris, ni se sentir jugés ou notés. Ainsi, les enseignants m'ont dit qu'ils ont découvert, grâce à ces ateliers, l'acuité intellectuelle de tel ou tel élève qui s'exprimait peu dans le cadre scolaire habituel. À l'inverse, d'autres enfants, brillants dans l'apprentissage des matières habituelles, se révèlent plus embarrassés quand il s'agit d'exprimer un avis personnel et d'argumenter pour le défendre. Ensuite, les enfants adorent aborder les grandes questions de la philosophie existentielle : le bonheur, la vie et la mort, les émotions et les sentiments, la relation à soi-même et aux autres, etc. Ils ont peu d'occasions de parler de ces questions, de dire ce qu'ils en pensent. Enfin, ils découvrent les vertus du débat d'idées. Ils apprennent vite à passer de la confrontation stérile des opinions et des croyances à l'élaboration d'une pensée, ce qui suppose l'écoute de l'autre et la recherche d'arguments susceptibles de faire progresser la réflexion commune.

C'est pourquoi l'idée a germé d'écrire ce livre afin de faire connaître aux éducateurs, aux parents et aux enseignants les vertus de la méditation et des débats philosophiques pour les enfants. En effet, la pratique de l'attention n'est pas réservée au cadre scolaire et peut parfaitement devenir un exercice individuel, à la maison. Car non seulement beaucoup d'enfants continuent de méditer chez eux en s'isolant dans leur chambre, mais certains m'ont confié avoir enseigné la technique à leurs parents ! Quant aux ateliers philo, ils s'adaptent aussi à un cadre familial : on réunit plusieurs enfants pour les faire réfléchir à partir d'une question ou d'un texte.

Cet ouvrage propose donc une méthode qui permet d'animer des ateliers à visée philosophique. Afin d'aider les éducateurs qui n'ont pas de formation philosophique, je donne de nombreux exemples concrets autour des principales notions abordées, grâce auxquels on comprend comment mener un atelier sans mettre en avant son opinion personnelle, mais en s'appuyant toujours sur ce que disent les enfants, condition de leur progression dans la réflexion et le débat. J'ai ajouté en fin d'ouvrage une vingtaine de fiches pratiques autour de grandes notions philosophiques qui aideront les animateurs à lancer et faire rebondir les débats.

Dans le même esprit pédagogique, j'explique les fondements de la méditation de pleine présence et j'ai enregistré un CD audio, qui accompagne ce livre, visant à aider les enfants et leurs éducateurs à méditer, seuls ou en groupe, pour une courte ou une plus longue durée, avec ou sans support musical.

Une véritable révolution est en marche un peu partout dans le monde éducatif : la recherche d'un meilleur développement de la créativité des enfants, de leur intelligence émotionnelle, de leur esprit critique et de leur responsabilité citoyenne. Je suis heureux de pouvoir apporter ma contribution à ce mouvement, car je reste convaincu que l'amélioration du monde, et notamment la lutte contre le fanatisme, passe par l'éducation de nos enfants. Principalement par l'éveil de leur intelligence et de leur conscience morale, de leur capacité à gérer leurs émotions et à développer une lucidité, une véritable liberté et sérénité intérieure.

La pratique de l'attention

La méditation est une pratique très ancienne aux formes extrêmement diverses. En Occident, on entend surtout par ce mot la cogitation autour d'une idée ou d'un texte. «Méditer» prend alors le sens de réfléchir de manière profonde sur un objet précis. Dans les sagesses orientales, cette réflexion profonde est entendue d'une tout autre manière : il s'agit d'un travail de l'esprit visant un degré supérieur de compréhension, de conscience, afin d'atteindre la Libération, l'Éveil, de ne plus être prisonnier des illusions de l'ego et du mental.

De la méditation bouddhiste à la pleine présence

C'est dans la tradition bouddhiste que la pratique de la méditation comme méthode de libération intérieure a été le plus développée, enrichie, affinée. De manière assez grossière, on peut y distinguer deux étapes fort différentes. La première – *samatha*, en pali – consiste à obtenir un calme intérieur, à apaiser l'esprit en le libérant du flot incessant de nos pensées. La seconde – *vipassana*, en pali – vise à libérer l'esprit, à développer la compassion, à travers des intentions et des exercices de visualisation par exemple. Les deux stades coexistent le plus souvent lorsque le méditant est engagé dans une pratique spirituelle. Mais rien n'empêche de les séparer et d'utiliser la méditation uniquement comme technique d'apaisement du mental et des émotions. Le but recherché n'est plus alors un progrès spirituel en vue d'une libération ultime, mais simplement un état d'apaisement et d'attention. C'est à cette «laïcisation» de la méditation bouddhiste que nous assistons depuis une bonne trentaine d'années en Occident.

Les principaux pionniers de cette forme de méditation occidentalisée sont Francisco Varela et Jon Kabat-Zinn. Tous deux, entrés en contact avec des maîtres zen et tibétains dans les années 1970, ont compris l'importance d'une pratique méditative «non religieuse» pour les individus modernes, pris dans des vies au rythme effréné et incapables de gérer le stress lié au flux incessant des pensées et des émotions. Francisco Varela, que j'ai bien connu dans les années 1990 lorsque j'ai fait ma thèse de doctorat sur le bouddhisme en Occident, était un neurobiologiste chilien, diplômé de Harvard. Il a fait sa carrière en France au CNRS et a dirigé le laboratoire de neurosciences cognitives et d'imagerie cérébrale à l'hôpital Pitié-Salpêtrière. Méditant bouddhiste, il a fondé, en 1987, le Mind and Life Institute, qui organise des dialogues entre le dalaï-lama et divers scientifiques de haut niveau sur l'esprit et la conscience. Pionnier de la recherche sur le cerveau des méditants par l'imagerie cérébrale, il décède en 2001, mais son travail est poursuivi par de nombreux chercheurs à travers le monde. Parmi eux, un Français, Antoine Lutz, qui, après une thèse sur la conscience sous la direction de Varela, s'est consacré à l'étude de la méditation par les neurosciences. Directeur de recherche à l'Inserm de Lyon et au sein de l'université américaine du Wisconsin, il a publié des études qui montrent les effets de la méditation sur le cerveau. Parmi ses nombreux cobayes (à qui il pose des électrodes sur le crâne), le célèbre moine bouddhiste français Matthieu Ricard. Les observations de Varela ont prouvé que les méditants ont une meilleure capacité d'attention et de concentration, que la méditation a un rôle dans la régulation des émotions et qu'elle favorise la synchronisation des différentes zones cérébrales.

De nombreux médecins, et notamment des psychiatres, s'intéressent depuis plusieurs décennies aux effets de la méditation sur la santé physique et psychique. Il est aujourd'hui avéré qu'une pratique régulière de la méditation est très bénéfique contre les troubles de l'anxiété et le syndrome dépressif. C'est pourquoi un autre méditant bouddhiste, le médecin américain Jon Kabat-Zinn, également docteur en biologie moléculaire (au Massachusetts Institute of Technology), s'intéresse depuis la fin des années 1970 aux effets positifs du premier stade de la méditation (l'apaisement du mental par l'attention au corps) sur le stress et l'anxiété. Il rebaptise la méditation « *mindfulness* », terme bien mal traduit en français par « pleine conscience », expression ambiguë puisqu'il ne s'agit pas d'être conscient, mais plutôt d'être présent, ici et maintenant, dans une attention à son souffle et à ses sensations corporelles. C'est pourquoi je le nomme plus volontiers «exercice de l'attention» ou de «pleine présence». Le philosophe Fabrice Midal, qui a créé l'École occidentale de méditation, partage pleinement ce point de vue. En 1979, Jon Kabat-Zinn met au point une méthode de réduction du stress fondée sur la pratique de la pleine présence : la MBSR (Mindfulness Based Stress Reduction). Depuis, il a formé des milliers de personnes à la transmission de cette technique, dont le célèbre psychiatre français Christophe André, qui l'a appliquée avec succès à de nombreux patients de l'hôpital Sainte-Anne, avant de la populariser auprès du grand public dans son best-seller : *Méditer, jour après jour* aux éditions de L'Iconoclaste.

La méditation, mode d'emploi

Les principes de cet exercice de l'attention sont simples. Il s'agit de ne rien attendre, d'être simplement présent, ici et maintenant, dans son corps. Pour cela, on se met de préférence en position assise, le dos bien droit, les mains posées sur les genoux, paumes ouvertes ou fermées. On ferme les yeux, ou bien on les garde mi-clos en regardant le sol devant soi. Puis on place son attention sur la respiration, sur le souffle qui va et vient dans son ventre et dans ses poumons. On laisse passer les pensées, qui ne cessent de surgir. On les observe, sans jugement, sans s'y attacher, sans les retenir, et on revient sans cesse à l'attention au souffle et aux sensations corporelles. À cet égard, la pleine présence s'inspire de la méthode Vittoz (que j'ai également pratiquée adolescent), une rééducation à l'attention par la perception sensorielle. Pour ne pas être sans cesse pris dans le flux de nos pensées et de notre imaginaire, nous développons une attention au toucher, aux odeurs, aux sons, à ce que nous voyons et goûtons. Cette attention au corps permet à l'esprit de s'apaiser.

Pratiquer l'attention avec les enfants

Les éducateurs, les parents et les enseignants savent que les enfants ont de plus en plus de mal à se concentrer. Selon certaines études, leur capacité

de concentration n'excède guère huit secondes!
La méditation, comme pratique de l'attention, leur
est donc extrêmement profitable. De nombreuses expériences sont menées dans des écoles maternelles
et primaires depuis une quinzaine d'années. La
plus connue est celle de la thérapeute et formatrice
néerlandaise Eline Snel. Elle enseigne la méditation
de pleine présence aux enfants et aux adolescents
depuis plus de vingt ans et a écrit de nombreux ma-
nuels pratiques adaptés à chaque âge. Aux Pays-Bas,
une formation gratuite est proposée par le ministère
de l'Éducation nationale à tous les enseignants du
primaire. Le succès planétaire de son livre *Calme et
attentif comme une grenouille*, traduit en France en
2012 et déjà vendu à plus de 120 000 exemplaires, a
popularisé cette pratique. Eline Snel anime également des formations aux Pays-Bas, en France, en
Belgique, en Espagne et même à Hong Kong! Dans
son approche méditative de pleine présence, elle
suggère que les enfants placent les mains sur leur
ventre pour mieux sentir leur respiration – une
bonne idée, même si je crois qu'il vaut mieux, en fin
de compte, laisser à chaque enfant le choix du posi-
tionnement des mains qui lui convient le mieux.

La pratique méditative dans les écoles se développe lentement en France, à travers de nombreuses initiatives isolées, mais aussi grâce à plusieurs associations mettant en réseau des pédagogues et des formateurs, comme Enfance et Attention, fondée par Laurence de Gaspary en 2012, qui regroupe des praticiens formés aux méthodes de développement de l'attention adaptées aux enfants et adolescents et s'appuyant sur le protocole MBSR de Jon Kabat-Zinn.

Ce que les enfants et les enseignants en disent

Lorsque j'ai pris la décision d'ouvrir les ateliers philo par une séance de développement de l'attention, j'ai commencé dans chaque classe par demander aux enfants s'ils savaient ce qu'était la méditation, sachant qu'aucun ne l'avait jamais pratiquée à l'école. En moyenne, deux à cinq d'entre eux avaient une idée sur la question. Parfois très précise, parfois un peu floue. Petit florilège :

- **MAËL** (9 ans) : C'est pour se reposer et penser à rien.
- **CHARLIE** (9 ans) : C'est pour vider son esprit.
- **ROBIN** (11 ans, l'ayant déjà pratiquée avec son papa) : Quand on est énervé, on fait le vide pour remettre le compteur des émotions à zéro.
- **CLARA** (9 ans) : C'est quelque chose qui calme, on recherche la sérénité.
- **OUALI** (7 ans) : C'est quand on fait quelque chose de relaxant.
- **MAROUA** (8 ans) : Ça sert à être zen.
- **PÉNIEL** (9 ans) : C'est se concentrer sur l'esprit, ne pas se faire déranger.
- **DONATELLA** (10 ans) : Apprendre à mieux se concentrer.
- **MARIE** (9 ans) : C'est avoir du temps pour réfléchir à quelque chose.
- **LOUISE** (10 ans) : Il faut respirer et penser à des choses... enfin, il faut penser à rien, en fait !
- **MARIUS** (9 ans) : C'est un peu un médicament contre le stress.
- **ENZO** (10 ans) : Tu t'assieds, tu te concentres et tu médites.
- **TEXANE** (9 ans) : Quand tu médites, c'est pour tout oublier.

- **NOÉMIE** (10 ans) : C'est quand ton corps il dort, mais toi t'es réveillé.
- **PÉNÉLOPE** (9 ans) : C'est pour mieux travailler.
- **EVA** (10 ans) : C'est pour se calmer et se détendre.

La grande majorité des enfants qui ont une idée sur la méditation la perçoivent ainsi dans sa version orientale laïcisée de « vide de l'esprit » permettant de se relaxer, de se concentrer, de trouver la sérénité. Seuls deux d'entre eux ont évoqué la notion occidentale de méditation (« réfléchir à quelque chose »), et l'une s'est tout de suite ravisée : « ... il faut penser à rien, en fait ! » Cela montre que, via une influence familiale ou culturelle plus globale, c'est bien cette notion de méditation comme pratique de l'attention en vue du calme intérieur que les enfants ont en tête lorsqu'ils en ont entendu parler.

J'ai donc demandé, avant chaque atelier philo, aux enfants de se mettre bien droits, assis sur leur chaise, de poser les pieds au sol en évitant de croiser les jambes, de mettre les mains sur la table ou sur leurs genoux, de fermer les yeux et de porter leur attention sur leur respiration, en laissant passer les pensées. Les premiers exercices duraient deux ou trois minutes. J'ai constaté que la grande majorité des enfants jouaient le jeu et conservaient les yeux fermés jusqu'au bout, même s'il y avait presque toujours des enfants plus agités qui avaient du mal à faire l'exercice. Au bout de quelques séances, la plupart de ces enfants ont finalement réussi à plonger, restant silencieux et concentrés jusqu'à la fin. J'ai ainsi pu allonger la durée de l'exercice à cinq bonnes minutes. Cela d'autant plus aisément que des enseignants, après avoir assisté à quelques séances de pratique de l'attention, ont décidé, parfois d'ailleurs à la demande expresse des enfants, d'en organiser en dehors des ateliers philo, comme en témoigne Sophie Maire, enseignante de CP-CE1 à l'école publique Jacques-Prévert de Pézenas :

J'ai eu recours plusieurs fois à la méditation avec les élèves, lors des transitions entre des activités, ou avant de commencer un travail, alors que je sentais qu'ils n'étaient pas prêts parce que trop agités ou dispersés. Le simple fait de faire un retour sur soi leur a permis de changer d'attitude en quelques minutes, et de gagner en calme et en concentration. Cela nous a aussi donné l'occasion de parler des techniques de chacun pour retrouver son calme, et de constater qu'il nous arrivait à tous d'être énervés, fatigués, et qu'on pouvait essayer de sortir de cet état si on le décidait. Certains appréciaient tellement ces moments qu'ils ont commencé à pratiquer la méditation à la maison.

Ce dernier point est une des choses qui m'ont le plus ému. À la fin de l'année scolaire, lors du dernier atelier, j'ai demandé aux enfants s'ils avaient adopté la pratique de la méditation chez eux. À ma grande surprise, dans toutes les classes j'ai pu constater qu'environ les deux tiers d'entre eux répondaient par l'affirmative. « Pour quelle raison ? » leur demandais-je. Voici quelques réponses bien représentatives de l'ensemble :

- **VIOLETTE** (9 ans) : Ça me sert à calmer ma colère quand je vais m'apprêter à gronder ma petite sœur. Je me dis avant de faire ça : « Je vais méditer et je vais réfléchir à ce que je vais faire parce qu'elle va peut-être pas comprendre. »
- **CASTILLE** (9 ans) : Ça me sert à oublier toutes les choses qui m'énervent, qui me stressent.

• JEANNE (9 ans) : Par exemple, quand on est en classe, on rentre de récréation, on est un petit peu excités généralement, et quand on fait la méditation ça fait du bien parce que ça relaxe le corps et en plus ça aide à mieux gérer... Quelquefois, ça sert à quelque chose de savoir ne pas penser.

• CLARISSE (10 ans) : Moi, ça m'aide quand je suis en colère. Je fais ça, et après ça m'aide à ne plus faire de mouvements brusques.

• ÉDOUARD (9 ans) : Moi, ça m'aide à m'endormir parce que, en fait, je m'endors en faisant de la méditation.

• HECTOR (9 ans) : Parfois, quand je suis en train de réviser et que pense à quelque chose en même temps, eh bien ça sert à me calmer et à me concentrer.

• VICTORIA (10 ans) : Ça m'aide à me concentrer. Quand je veux me concentrer sur une leçon, je fais de la méditation.

• LUCILE (9 ans) : Ça m'aide à gérer mes émotions, à m'apporter du bien-être et le calme.

• ARTHUR (10 ans) : Je m'arrête de penser, je me concentre, j'essaye de me détendre et je prends un peu de recul sur les autres choses.

Nathalie Casta, enseignante de CM1-CM2 à l'école publique de Brando, petit village de Haute-Corse, résume bien l'apport de la pratique de l'attention aux enfants :

La méditation a apporté un retour au calme, physique et mental. Je pratique la méditation à chaque début de séance de philosophie, et quand je sens la classe agitée, excitée, énervée, par exemple après un temps de cantine ou un temps de récréation. C'est une façon de remettre les enfants dans le calme de manière beaucoup plus efficace que si je leur promets une punition de manière autoritaire, car le calme que j'obtiendrais après un acte d'autorité serait beaucoup plus superficiel. En se concentrant sur leur corps, sur leur respiration, ils entrent dans un vrai calme intérieur – et ils aiment faire l'exercice.

Une méditation audioguidée

Pour aider les enfants dans cet exercice, j'ai joint à cet ouvrage un CD audio de huit méditations guidées par ma voix, comme il m'arrive souvent de le faire lors de séminaires. Qu'elles se pratiquent en groupe (à l'école ou en famille) ou seul, les méditations sont les mêmes, sauf que j'utilise le « tu » lorsque l'enfant est seul et le « vous » quand je m'adresse à un groupe, et elles ont deux durées : courte, de cinq minutes, et longue, de dix minutes. Chaque méditation est aussi proposée avec un accompagnement musical, qui aide parfois certains enfants (et certains adultes !) à lâcher les pensées. J'ai demandé à mon ami Stephen Sicard, connu sous le nom d'artiste de Logos et auteur de nombreuses musiques méditatives, de composer un air d'accompagnement pour les quatre types de méditation mis à disposition (seul, courte et longue ; en groupe, courte et longue). Il sera sans doute précieux au départ de recourir au CD, mais une fois la méthode bien intégrée, l'enfant ou le groupe pourra évidemment pratiquer l'attention sans ce soutien sonore.

La pratique de la philosophie

Y a-t-il un âge pour commencer à philosopher?

À partir de quel âge peut-on pratiquer la philosophie? La plupart des philosophes et des professeurs de philosophie à qui j'ai posé la question restent convaincus que cela demande de la maturité intellectuelle et l'acquisition de certaines notions. Aristote affirmait d'ailleurs qu'il était difficile de devenir philosophe avant 45 ans! Tout dépend, au fond, de ce qu'on entend par «pratique de la philosophie». S'il s'agit d'une réflexion conceptuelle impliquant la lecture des grands auteurs, alors en effet il est difficile de philosopher avant d'être capable de lire des textes parfois ardus, ce qui justifie l'enseignement de la philosophie en classe de terminale. Mais ne peut-on aussi concevoir cette discipline à la manière socratique, soit comme un questionnement exigeant qui permet à la raison de progresser et à la pensée de s'affiner? Il n'est pas question, dans ce cas, d'acquérir un savoir, mais d'apprendre à penser. Dès lors, il n'y a pas vraiment d'âge pour commencer! C'est ce dont est convaincu Montaigne, qui affirme, dans le chapitre XXVI du premier livre des *Essais*, qu'«un enfant est capable [de philosopher], au partir de la nourrice, beaucoup mieux que d'apprendre à lire et à écrire». C'est aussi l'avis d'Épicure, qui commence ainsi sa *Lettre à Ménécée* : «Quand on est jeune, il ne faut pas hésiter à s'adonner à la philosophie, et quand on est vieux, il ne faut se lasser de philosopher. Car jamais il n'est trop tôt ou trop tard pour travailler à la santé de l'âme.» C'est ainsi qu'on parlera à juste titre, concernant les enfants, d'ateliers « à visée philosophique». L'animateur ne va pas chercher à leur transmettre des connaissances, comme en classe de terminale, mais les aider à développer une pensée personnelle, un esprit critique, une capacité, au-delà des croyances et d'opinions, à raisonner. Et, comme ce sont des ateliers de groupe, l'enfant apprend à écouter les autres, à dialoguer, à argumenter.

Lorsque j'ai entrepris de mener des ateliers philo avec les enfants, j'ai décidé de commencer dès la grande section de l'école maternelle, avec des enfants de 4-5 ans, et jusqu'au CM2, avec des enfants de 9-11 ans. J'ai tout de suite été frappé par une chose : il y a vraiment un saut qualitatif, dans la capacité de penser des enfants, entre avant et après 6-7 ans. Le psychologue suisse et épistémologue Jean Piaget, qui a publié entre les deux guerres de nombreux ouvrages sur le développement de la pensée chez l'enfant, a qualifié cet âge charnière d'«âge de raison». Même si la théorie de Piaget, qui voit un progrès linéaire de l'intelligence, marche par marche, de la naissance à l'âge adulte, est critiquable par certains aspects, je ne peux que confirmer qu'il est beaucoup plus facile de faire des ateliers à visée philosophique avec des enfants de plus de 6-7 ans. À cet âge, en effet, j'ai constaté qu'ils sont davantage capables de dépasser l'expression de leur ressenti et d'argumenter de manière abstraite. Par exemple sur le bonheur, les enfants de maternelle n'arrivent spontanément à donner que des exemples concrets de ce qui les rend heureux : aimer ses parents, jouer avec ses amis, manger une glace, etc. Il en va tout autrement avec les enfants de CP-CE1, donc âgés de 6 et 7 ans, qui deviennent capables d'une pensée plus abstraite du type : «Le bonheur, c'est la réalisation de nos désirs», et susceptibles d'entrer dans un débat profond sur le caractère infini du désir… ce désir qui peut finalement nous rendre malheureux! (Voir l'atelier sur le bonheur, p. 71.)

Comme l'explique le docteur Catherine Gueguen dans son remarquable ouvrage *Pour une enfance heureuse. Repenser l'éducation à la lumière des dernières découvertes sur le cerveau*, les études récentes sur le développement du cerveau révèlent que celui des enfants connaît, entre 5 et 7 ans, une production accrue de neurones et de leurs connexions, ce qui favorise le développement des lobes temporaux et frontaux, essentiels dans les processus cognitifs et la régulation des émotions. C'est pourquoi, vers 6-7 ans, les enfants sont davantage capables à la fois de gérer leurs émotions et de développer une pensée abstraite. L'expression «âge de raison» est ainsi doublement appropriée : l'enfant devient plus «raisonnable» dans son comportement émotionnel, mais également plus apte au raisonnement.

Certains éducateurs qui mènent, parfois depuis des années, des ateliers philo en maternelle me rétorqueront que les enfants de 4 ou 5 ans sont parfois capables de réflexions d'une grande profondeur, et c'est indéniable. D'abord, parce que, entre 3 et 5 ans, ils connaissent un véritable questionnement métaphysique, s'interrogeant sur Dieu, le sens de la vie, la mort, etc. Mais ce questionnement, cet étonnement, ne les rend pas encore nécessairement aptes à formuler un raisonnement pour tenter de répondre à ces questions existentielles. Ensuite, il est certain que le milieu affectif et social dans lequel baigne l'enfant favorise – ou, inversement, compromet – la croissance du cerveau, et on trouve dans chaque classe des enfants beaucoup plus mûrs intellectuellement que les autres. Enfin, des petits lancent parfois une « perle » extraordinaire, une parole d'une grande profondeur, qu'on croirait sortie d'un livre de Sénèque ou de Confucius ! Mais, le plus souvent, l'enfant a ensuite du mal à expliquer son propos, et ne saura le redire à la séance suivante si on le lui demande. Or le constat qui ressort de mon expérience est qu'un enfant plus âgé est généralement capable d'argumenter sa pensée et de la reformuler ultérieurement, parfois même en l'affinant.

Faut-il, dès lors, renoncer à faire des ateliers philo avec les enfants de maternelle ? Certainement pas !

Mais on ne doit pas s'attendre à voir les enfants développer une véritable argumentation dès les premières séances. Le temps est ici un atout précieux. Je recommande vivement le visionnage du beau documentaire *Ce n'est qu'un début. Classe de maternelle. Ce matin, atelier de philosophie!* Pendant deux ans, les réalisateurs ont suivi une institutrice menant des ateliers philo avec une classe de maternelle de l'école Jacques-Prévert du Mée-sur-Seine. Le film, plein d'émotion et de poésie, montre l'évolution progressive d'une classe dans l'élaboration d'une réflexion commune autour de grands thèmes comme l'amour, les émotions, le respect d'autrui, etc.

L'autre avantage des ateliers philo en maternelle est qu'ils permettent aux enfants d'apprendre à s'écouter et à échanger leurs points de vue de manière constructive. Lorsque j'ai animé un premier atelier philo à Genève, à l'école La Découverte, j'ai noté que les enfants de maternelle qui pratiquaient déjà ce type de discussions avec leur maîtresse en avaient bien intégré les règles : chacun donne son opinion librement, écoute les autres et exprime son accord ou son désaccord, comme en témoigne ce petit échange que j'ai eu en début de séance :

FRÉDÉRIC : Est-ce que vous avez déjà fait avec votre maîtresse des petits ateliers de philosophie ?

LES ENFANTS : Oui.

F : Donc vous savez ce que c'est que la philosophie ?

LES ENFANTS : Oui.

F : Qui veut m'expliquer ce que c'est ?

WILFRED : C'est quelque chose quand on parle.

LUCIE : C'est qu'on parle d'un sujet.

EMMA : On discute.

F : On discute de tout ?

EMMA : Non !

F : Donc on discute de quoi ?

EMMA : D'une chose.

F : La philosophie c'est discuter d'une chose, c'est ça ?

PLUSIEURS VOIX : Oui, d'un sujet, quand on parle de la colère ou d'autre chose.

F : Et tout le monde parle en même temps ?

ENFANTS : Non, on lève la main et après, quelqu'un, la maîtresse, nous donne la parole. Après on parle.

F : Et est-ce que vous écoutez ce que disent les autres ?

ENFANTS : Oui. Oui, on les regarde.

UNE VOIX : Et si on est d'accord on va les regarder dans les yeux.

F : Et si on n'est pas d'accord ?

UNE VOIX : On ne les regarde pas.

UNE AUTRE VOIX : On les regarde pas.

F : Donc vous écoutez les autres et puis, des fois, est-ce que vous changez d'avis en fonction de ce que disent les autres ?

ENFANTS : Ouiiii.

F : Ou est-ce que vous pensez tous la même chose que les autres ?

UNE VOIX : Non.

DES VOIX : Des fois.

SAMI : Oui, des fois.

La philosophie avec les enfants : un bref état des lieux

Le premier pédagogue ayant mis en place une méthode pour philosopher avec les enfants, dans les années 1970, est le philosophe américain Matthew Lipman. L'idée fondamentale de Lipman est de créer une «communauté de recherche», en faisant réfléchir un groupe d'enfants à partir d'un texte qui pose des questions à portée philosophique. Il a ainsi écrit des dizaines de romans philosophiques, qui servent de base à ces discussions. Les enfants lisent à haute voix des passages d'un texte adapté à leur niveau, récoltent les questions et débattent en présence d'un animateur, qui a pour mission de les aider à progresser ensemble dans la réflexion, sans chercher à transmettre son savoir. Le travail de Lipman (décédé en 2010) continue de se développer à travers l'IAPC (Institut pour l'avancement de la philosophie pour enfants) et sa méthode a été transposée au Québec par des chercheurs de l'université de Laval, dont Michel Sasseville, qui l'a affinée et enseignée dans plusieurs écoles à travers le monde francophone.

Depuis une quinzaine d'années, la philosophie avec les enfants s'est aussi développée en France de manière très diverse. La plupart des pédagogues français ont pris de la distance avec les textes de Lipman, même si nombre d'entre eux préconisent de commencer l'atelier par une lecture de texte, pouvant provenir, par exemple, de la littérature jeunesse. On retiendra principalement la méthode des ateliers de philosophie AGSAS, initiée en 1996 par le psychanalyste Jacques Levine et l'enseignante Agnès Pautard, qui part d'un thème à travers un mot « inducteur » et invite les enfants à parler librement en s'échangeant un « bâton de parole », devant la présence silencieuse de l'enseignant. Celle, ensuite, de Michel Tozzi, qui a fondé en 1998 à l'université de Montpellier un pôle de recherche consacré à la question. Initiée par Alain Delsol et Sylvain Connac, cette méthode a été développée par Jean-Charles Pettier à l'IUFM de Créteil, lequel publie de remarquables fiches pour ateliers philo dans *Pomme d'Api*. Cette méthode, très élaborée, tente d'articuler deux éléments essentiels : un cadre de discussion démocratique avec une répartition entre les élèves de plusieurs rôles (président de séance, reformulateur, synthétiseur, discutants, observants) et la fonction centrale de l'enseignant-animateur, qui accompagne l'animation collective par des interventions ciblées (définitions de notions, distinctions conceptuelles, etc.). La méthode, enfin, d'Oscar Brenifier, inspirée de la maïeutique socratique, diffusée par l'Institut de Pratiques

Philosophiques (IPP) et Isabelle Millon, qui vise de manière plus générale à diffuser la pratique de la philosophie dans la cité (écoles, médiathèques, prisons, etc.).

Ces méthodes ont pour principal objectif de permettre à l'enfant de développer sa pensée personnelle et d'apprendre à discuter avec d'autres. Certains, comme les ateliers AGSAS, insistent davantage sur l'utilité pour l'enfant de découvrir qu'il est à la source de sa pensée, tandis que la méthode Tozzi vise plutôt à provoquer une discussion démocratique entre les enfants. Le rôle du maître est différent d'une méthode à l'autre, ainsi que la souplesse ou la rigidité du cadre, et le point de départ. Tandis que Matthew Lipman propose ses propres romans, Jacques Levine part d'un mot clé et Michel Tozzi aime utiliser les mythes platoniciens. Edwige Chirouter part aussi toujours de récits. Cette jeune maître de conférences à l'université de Nantes et docteur en sciences de l'éducation pratique depuis une quinzaine d'années les ateliers philo dans la mouvance de Michel Tozzi, auprès de qui elle a soutenu une thèse sur la question. Spécialiste de Jean-Jacques

Rousseau, elle s'intéresse particulièrement au lien entre philosophie et littérature et vient d'être mandatée par l'UNESCO pour créer et animer une chaire de philosophie pour enfants, qui vise à coordonner et promouvoir toutes les initiatives qui fleurissent un peu partout dans le monde (officiellement inaugurée le 18 novembre 2016 au siège de l'UNESCO à Paris). Merveilleuse idée !

Les règles fondamentales et dix recommandations

Cette diversité est assurément une richesse, et il serait vain, me semble-t-il, d'affirmer qu'une méthode est supérieure aux autres. Lorsque j'ai commencé à philosopher avec les enfants, je n'avais rien lu sur le sujet, et cela m'a permis d'avoir un regard vierge sur la question. Suivant plutôt mon intuition et mon ressenti en fonction des réactions des enfants, j'ai eu recours à ce qui m'était le plus naturel : une forme de maïeutique socratique ; à partir d'une interrogation, poser des questions faussement naïves, écouter et s'arranger pour que les enfants recherchent la précision, les nuances et les contradictions dans leurs raisonnements. Les chapitres suivants offrent une dizaine d'exemples de questions sur des thèmes tels que le bonheur, les émotions, le sens de la vie, le respect d'autrui, etc. Auparavant seront exposées une dizaine de recommandations tirées de mon expérience des ateliers philo avec des enfants. Elles présentent quelques règles à fournir aux élèves et seront utiles aux animateurs.

1re recommandation : aménager un espace qui favorise la discussion entre les enfants

Afin de faciliter le dialogue entre les enfants, il est préférable de les placer en cercle. Ainsi, ils peuvent se regarder quand ils se parlent. Cette disposition a l'avantage de mettre l'animateur dans le cercle, au même niveau que les enfants, plutôt qu'à la place habituelle de l'enseignant : face aux élèves pour leur transmettre son savoir. Dans certaines classes, du fait de la disposition rigide des tables qu'on ne peut mettre de côté pour l'atelier, cette configuration est impossible. L'atelier se fera malgré tout, mais l'animateur devra bien expliquer qu'il est dans une autre posture que celle, traditionnelle, du professeur, et il veillera à ce que les enfants se regardent lorsqu'ils débattent.

2ᵉ recommandation : demander l'opinion des enfants sur la philosophie

Il est nécessaire de savoir ce que les enfants ont en tête lorsqu'on parle de philosophie. On leur pose tout simplement la question dès le premier atelier dans une classe : « Savez-vous ce que c'est que la philosophie ? À quoi ça sert ? » Quelques exemples de réponses obtenues :

LOUIS (8 ans) : C'est aimer réfléchir.

NINON (9 ans) : C'est réfléchir à comment la vie pourrait être mieux.

GOCHA (8 ans) : C'est pour mieux apprendre à vivre.

LOUISE (9 ans) : C'est quelque chose pour arriver à pousser sa pensée pour réfléchir.

ADAM (9 ans) : C'est avoir des idées pour rendre le monde meilleur.

INOA (10 ans) : C'est réfléchir sur le sens de la vie.

ELIA (9 ans) : C'est plusieurs personnes qui disent leurs pensées, même si elles ne sont différentes de celles des autres, et puis tout le monde s'écoute.

JOCELYNE (10 ans) : C'est adapter sa pensée avec les idées des autres.

JULIEN (7 ans) : C'est parler du bonheur.

ALICE (9 ans) : C'est partager les avis, mais c'est aussi la vie en général. Vivre tous les jours, c'est faire de la philo.

ADIL (9 ans) : C'est se poser des questions sur tout.

3ᵉ recommandation :
dire aux enfants les règles de l'atelier

Lorsqu'on commence un atelier philo, il est essentiel d'expliquer aux enfants de quoi il s'agit et de poser quelques règles.

– Nous ne sommes pas dans un cours, où il y a un maître qui sait et des élèves qui apprennent. Dans cet atelier, c'est vous qui allez exprimer librement votre opinion. L'animateur n'est pas là pour vous juger, vous noter, évaluer vos connaissances. Il est juste là pour vous accompagner et vous aider à formuler votre pensée et à dialoguer les uns avec les autres.

– Lorsque la question est posée, ceux qui veulent répondre lèvent la main. C'est l'animateur qui distribue la parole.

– On évitera autant que possible de répéter ce qui a été dit. Si une pierre a déjà été posée à l'édifice de la réflexion collective, nul besoin de la poser à nouveau. Une prise de parole devra apporter quelque chose de neuf : une précision, un désaccord, une autre pensée.

– On écoutera attentivement ce que disent les autres et on évitera toute moquerie ou tout jugement.

– Lorsqu'on est en désaccord avec une idée émise par un autre enfant, lorsque la parole nous est donnée, on regardera l'autre enfant en disant : « Je ne suis pas d'accord avec toi, parce que… »

– On cherchera toujours à argumenter son opinion. On écartera ainsi les réponses « oui » ou « non », ou les opinions non argumentées.

4ᵉ recommandation : choisir une entrée en matière qui favorise le débat

Comme je viens de l'évoquer, les entrées en matière sont nombreuses. On peut choisir un texte qui sera lu par un ou plusieurs enfants et les aidera à faire émerger une question philosophique afin de lancer la discussion. Ou poser un mot et voir comment il fait résonance chez les enfants. Par exemple : «amour», ou «liberté», ou «justice». On peut aussi dire une citation. En voici deux à partir desquelles j'ai commencé un atelier sur le bonheur et un autre sur l'amour : «J'ai reconnu le bonheur au bruit qu'il a fait en partant» (Jacques Prévert) et «Plus on connaît, plus on aime» (Léonard de Vinci). Au même titre qu'un texte, une affiche, un dessin, un extrait de film provoqueront un questionnement philosophique. On peut enfin, et c'est ce que j'ai fait le plus souvent, partir d'une question : «Qu'est-ce qu'une vie réussie ?», «L'autorité est-elle légitime ?», «Qu'est-ce qu'un ami ?», etc.

5ᵉ recommandation : donner le moins possible son point de vue personnel, apporter un éclairage notionnel

Il est difficile pour l'animateur de rester le plus neutre possible. Bien souvent les enfants demandent ce qu'on en pense ! Dans le même ordre d'idées, il ne faut pas porter de jugement négatif lorsqu'un enfant commet une erreur, et le recadrer gentiment si sa réponse est hors sujet, ce qui arrive assez souvent. Il m'est arrivé une fois de lancer une légère pointe d'ironie à une petite fille qui avait répondu complètement à côté de la question. Elle a rougi et a demandé ensuite à sortir de la classe. J'en ai été malheureux et je lui ai longuement parlé, après, pour m'excuser de ce qu'elle avait ressenti comme une moquerie.

Autant il est important que l'animateur ne donne pas d'emblée son avis personnel sur le thème abordé, autant il me paraît très utile d'apporter un éclairage notionnel au fil de la discussion. Par exemple, dans un atelier sur les émotions, lorsque les enfants sentent qu'il y a une différence entre une émotion courte (un coup de cœur) et une émotion longue (une histoire amoureuse qui dure longtemps), on les guidera pour distinguer l'émotion (brève) du sentiment (qui dure). Ces éclairages leur permettent de mettre des mots précis sur des idées qu'ils ont, mais qu'ils n'arrivent pas clairement à exprimer faute d'une connaissance conceptuelle ou linguistique suffisante. Il peut être utile de leur présenter, parfois, un bref éclairage sur l'histoire de la philosophie. Cela les aide à grandir dans leur réflexion.

**6ᵉ recommandation :
s'appuyer sur les réponses des enfants
pour lancer ou relancer le débat**

Il est évident que l'animateur doit avoir réfléchi à la question posée pour pouvoir animer le débat et le relancer. Si les enfants ont du mal à avancer sur une question difficile, intervenir en donnant une citation ou en formulant autrement la question leur sera utile. Mais, le plus souvent, le débat progresse naturellement avec les réponses des enfants. Le rôle principal de l'animateur consiste à favoriser la discussion, surtout lorsqu'un enfant a une parole particulièrement pertinente, ou un propos contestable, occasion d'un échange fécond. Ainsi, lors d'un débat avec des CE1 sur le thème «Qu'est-ce qu'une vie réussie?», un enfant a répondu : «C'est vivre le plus longtemps possible.» J'ai demandé : «Est-ce que vous êtes d'accord avec lui?» Et plein de doigts se sont levés d'enfants qui étaient en désaccord. Dans un autre atelier sur le bonheur, un CM1 a dit : «Le bonheur, c'est d'avoir plein de choses.» J'ai relancé le débat sur cette question, et il a été extrêmement riche.

7ᵉ recommandation : recadrer le débat quand il se perd dans des anecdotes

Il arrive souvent que le débat s'enlise sur un point anecdotique, mais qui passionne les enfants parce que l'un d'entre eux a exposé un cas concret et que tous veulent partager un témoignage. Un jour, nous parlions des émotions. Un enfant a donné l'exemple d'une peur qu'il avait eue, et tous les autres ont voulu eux aussi raconter des moments où ils avaient eu peur! On aurait pu y passer la séance entière, et j'ai préféré leur demander de revenir à la question posée : «La peur, comme la tristesse ou la colère, peut-elle être considérée comme une émotion négative ? »

**8ᵉ recommandation :
donner la parole aux enfants
qui ne parlent pas**

Il y a toujours dans une classe quelques élèves qui lèvent systématiquement la main pour parler. C'est heureux, car ce sont eux qui font progresser la discussion. Mais cela inhibe souvent les autres, qui ont peur de prendre la parole et de dire des choses moins pertinentes que leurs camarades. Il s'avère nécessaire, au bout d'un bon quart d'heure par exemple, d'interroger les silencieux pour leur demander ce qu'ils en pensent. On découvrira des enfants plus timides qui ont pourtant des idées personnelles et judicieuses.

**9ᵉ recommandation :
synthétiser les réponses et reformuler**

Lorsque le débat est riche et part un peu dans tous les sens, il est utile que l'animateur fasse de temps en temps le point sur ce qui vient d'être dit. Quand il reformule ainsi l'essentiel, les enfants mémorisent mieux ce qu'ils ont élaboré de manière collective et repartent dans un débat constructif. On peut également, au cours de l'atelier, lister certains points au tableau. L'utilisation d'un support imagé garantit une meilleure mémorisation. Il m'est donc arrivé de demander à un enfant d'écrire au tableau la reformulation que nous avions élaborée ensemble. Par exemple, dans un débat sur «le sens de la vie», les diverses réponses ont été notées avant que la discussion se poursuive et s'approfondisse : «être heureux», «faire du bien aux autres», «faire ce qu'on aime», «aimer», «agir bien», etc.

10ᵉ recommandation : garder une trace écrite des ateliers

Je me suis rendu compte au fil des ateliers que la plupart des enfants avaient oublié certaines distinctions notionnelles fondamentales qu'ils avaient établies lors de l'atelier précédent ! Même si un atelier philo s'avère déjà fort utile sans cet apport notionnel et linguistique, il est dommage qu'il ne puisse aussi servir à enrichir durablement la pensée et le vocabulaire des enfants. Je recommande donc vivement de leur distribuer un petit cahier intitulé «Mon cahier philo», dans lequel on les invite, à la fin de la séance, à prendre cinq minutes pour noter les idées qui les ont marqués ou les mots qu'ils ont appris. On peut les inviter à y écrire les idées qu'ils auraient, sur les thèmes traités par exemple, en dehors des ateliers.

Quelques témoignages

Les enseignants m'ont fait un retour sur les ateliers philo menés dans leurs classes lorsque ceux-ci ont été réguliers (au moins trois ou quatre séances, à un mois d'intervalle). Faute de place, je livrerai seulement ici le témoignage de Catherine Houzel, enseignante à l'école privée Fénelon à Paris.

L'expérience vécue par les élèves de CM1 fut unique. Il est impossible de citer ici tous les moments forts, mais je garderai longtemps le souvenir de ces enfants que j'ai vus grandir. Proposer d'apprendre à connaître les émotions, à les nommer avant d'apprendre à les gérer peut sembler ardu. Poursuivre les discussions autour du thème des sentiments et commencer à les identifier sans les mélanger peut l'être tout autant. Pourtant, ils ont répondu à l'invitation au-delà de toute attente. L'atelier démarre par une question, et les échanges débutent. Ils ont étonné par leur sens de l'écoute et du débat. Les paroles des enfants fusent, les réflexions se succèdent et les avis divergent. Chacun a un avis et peut l'exprimer, sans jugement et dans une écoute positive. Le débat est guidé, il rebondit sur une parole prononcée particulièrement pertinente, qui favorise un progrès dans la réflexion personnelle et collective.

La maturité et la profondeur de leurs réflexions continuent de me surprendre. Ils proposent des exemples qui orientent la discussion. Ils expriment, expliquent, argumentent, réagissent. On rebondit dessus, on avance. Les débats sont vifs, animés, intéressants, surprenants parfois, mais toujours enrichissants. J'ai senti des points de vue évoluer. Je sens qu'ils ont expérimenté que la philosophie se fait collectivement, que c'est une réflexion personnelle, mais en écoutant ce que disent et ce que pensent les autres. Ils ont appris à penser ensemble et ils ont aimé cela.

Je les ai également découverts différents de ce qu'ils sont dans la classe au quotidien. L'un d'habitude si réservé s'éveille lors des ateliers, un autre surprend par son attention aux autres ! Chacun a participé à sa manière, selon sa personnalité. Au fil des semaines, ils ont développé une réelle capacité à s'exprimer, à chercher les mots justes pour que leur ressenti soit bien compris.

Ils ont souvent témoigné, auprès de moi comme de leur famille, qu'ils avaient eu de la chance de vivre cela, et ils étaient tellement fiers d'avoir été appelés des « super petits philosophes » à la fin de l'année ! J'ai lu leur déception de voir les ateliers se terminer, et nombreux sont ceux qui ont demandé à Frédéric Lenoir de revenir les voir en CM2 pour poursuivre ce travail.

Je ne peux que m'associer à cette demande et espérer que nous pourrons poursuivre, avec eux et avec d'autres, cette expérience à l'avenir.

Quelques témoignages ont été récoltés à la fin du dernier atelier de l'année dans cette même classe de CM1 à Paris. Les enfants répondaient à la question : «Qu'est-ce que ça vous a apporté de faire des ateliers philo ?»

LANCELOT (10 ans) : En écoutant les autres, ça peut nous faire penser autrement.

ARTHUR (10 ans) : Ça sert à un peu mieux comprendre nos réactions et nos émotions et comment les gérer.

GASPARD (9 ans) : Ça apporte de la culture, de la connaissance.

VIOLETTE (9 ans) : Je ne m'étais jamais posé toutes les questions qu'on a étudiées et je suis contente d'avoir réfléchi à ça.

Enfin, le témoignage d'un élu, Alain Vogel-Singer, le maire de la petite ville de Pézenas (Hérault). Soucieux de développer des activités pédagogiques qui favorisent la connaissance de soi et le vivre-ensemble, Alain Vogel-Singer m'a proposé de faire des ateliers-pilotes dans l'école publique Jacques-Prévert. Il a assisté à la plupart des ateliers menés dans deux classes de cette école.

Les chemins de la vie ont amené Frédéric Lenoir, sur les pas de Molière et de Boby Lapointe, jusqu'à l'école primaire Jacques-Prévert. Du pur bonheur pour les enfants de Pézenas, leurs enseignants et les élus de la ville. Apprendre aux enfants à respirer, à se recentrer, à discerner!

Leur «apprendre», ou plutôt leur faire sentir, toucher du doigt... Libérer leur parole et leur donner quelques outils simples. Sortir de l'injonction, du «il faut», «tu dois»... Ouvrir leurs esprits et leurs cœurs...

Un «challenge» essentiel! Sa mise en œuvre par les enseignants est courageuse. Ils sortent des sentiers battus, s'exposent hors du cadre habituel et sécurisé du classique rapport «prof/élève».

Mais alors quel souffle! Les enfants s'expriment spontanément et livrent parfois des perles de sagesse. Ils interagissent en commentant et complétant les dires de leurs camarades. Leur spontanéité, leur sincérité, leur respect mutuel sont roboratifs.

Une fillette de 6 ans m'impressionne dès le premier contact par sa participation active. À la question «Peut-on connaître le bonheur dans des moments difficiles?», elle répond «Oui» sans ambages. J'en parle à la sortie à sa professeure. «Elle a des crises d'asthme aiguës durant lesquelles elle sourit», me répond-elle. Sourire d'Épicure...

Mouans-Sartoux

Il vaut mieux être mortel, parce que si on était immortel,
on ne pourrait pas être enfant, ado, adulte et vieux,
et ce serait dommage ! **LÉA** (11 ans)

L'amitié, c'est une lumière qui ne s'éteint pas,
alors que l'amour s'éteint lorsqu'on rencontre
quelqu'un d'autre. **EVA** (10 ans)

Si on était immortel, le monde n'évoluerait pas, parce qu'il y aurait toujours les mêmes personnes qui ne changeraient pas elles-mêmes. **ÉLINE** (10 ans)

Molenbeek

Monsieur Frédéric, j'ai une vie réussie : j'ai un papa et une maman !
AMIN (9 ans)

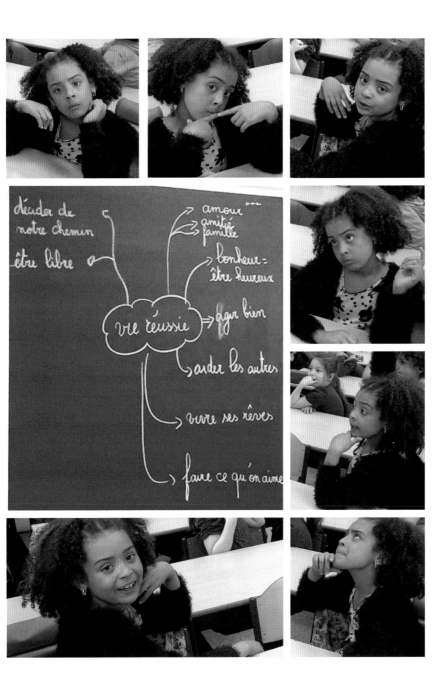

décider de notre chemin

amour
amitié
famille

être libre

bonheur = être heureux

vie réussie ⟹ agir bien

aider les autres

vivre ses rêves

faire ce qu'on aime

Un ami, c'est quelqu'un qui peut sacrifier sa vie pour nous.
MERIEM (9 ans)

Moi, je suis en colère qu'on tue des gens qui n'ont rien fait, et même des gens qui ont fait des bonnes choses dans la vie.
MOHAMED AMINE (8 ans)

Pézenas

Mon amie, c'est un peu comme une sœur de cœur
et on s'aime tellement qu'on aimerait vivre ensemble. **LIA** (7 ans)

Un philosophe, c'est quelqu'un qui regarde plein de choses
avec une longue-vue. **YHSSANE** (7 ans)

J'aime pas quand je dis : « je veux ça » et que ma mère me l'achète.
Je préfère attendre un peu pour l'avoir.
Parce que si on a tout de suite tout ce qu'on veut,
on n'est jamais content. **ROBIN** (9 ans)

Le bonheur, c'est d'être avec nos êtres chers. **TEXANE** (9 ans)

L'argent ne fait pas le bonheur,
mais il contribue au bonheur. **MATHIS** (10 ans)

Être heureux, c'est quand, même s'il nous arrive
quelque chose de grave, on est toujours content.
YHSSANE (7 ans)

La méditation, c'est quand tu n'écoutes plus rien
et que tu es seul dans toi-même.

CHRISTOPHE (10 ans)

Chez les plus grands, en début de deuxième séance, la seule mère d'élève présente déplore le mutisme de sa fille... Sa mère s'absente, la fillette se révèle diserte et dynamique ! Débrider...

Frédéric, catalyseur des expressions et échanges, surfe entre les mains levées et les prises de parole des jeunes élèves. Très vite, le philosophe est attendu par les enfants, qui ont intégré la méditation.

À Pézenas, nous irons plus loin ensemble. La prochaine rentrée sera très inspirante !

Les
ateliers
philo

Les dix recommandations précédemment énoncées peuvent paraître abstraites ; aussi, il est nécessaire de donner de larges extraits des ateliers que j'ai animés afin de rendre compte de l'évolution d'une discussion, des moments clés, des impasses dans lesquelles on se retrouve parfois. J'ai choisi de classer ces extraits par thèmes, chaque thème renvoyant à un ou plusieurs ateliers. Cela permettra aux éducateurs de s'inspirer du cheminement, des questions ou des idées exprimées lors de la discussion pour mener un atelier sur la même notion.

Ce ne sont pas des recettes ou des modèles, mais les témoignages d'une pratique, qui n'a véritablement de sens que répétée et dans la durée, une méthode de circulation de la parole, que chacun peut s'approprier et adapter selon les circonstances. J'ai coupé les passages, trop longs, où les enfants multiplient les exemples concrets, pour maintenir le fil et le rythme du débat. On s'aperçoit qu'il progresse surtout grâce aux interventions, dans chaque classe, de deux ou trois enfants, qui apportent des réponses et soulèvent des questions pertinentes. Il s'agit pour l'animateur de s'appuyer sur eux tout en demandant régulièrement aux autres ce qu'ils en pensent, afin d'impliquer le plus d'enfants possible dans la réflexion commune.

Tous les ateliers ont été enregistrés, et certains filmés. Je suis parti d'une retranscription mot à mot, parfois retravaillée pour remettre les phrases dans un français correct, tout en essayant de conserver les expressions précises. Je demande toujours aux enfants de dire leur prénom avant de répondre, mais il arrive qu'ils ne le fassent pas ou que certains prénoms soient inaudibles. Je mentionne alors : «Une voix».

J'ai fait suivre ces retranscriptions d'ateliers de vingt fiches pratiques destinées aux éducateurs qui souhaitent animer des ateliers philo. Ces fiches synthétiques proposent des citations, des questionnements, des définitions, des références de livres ou de films, autour de vingt grandes notions qui peuvent être traitées avec des enfants ou des adolescents.

Qu'est-ce que le bonheur ?

Dans chacune des dix-huit classes où je suis intervenu – de la grande section de maternelle au CM2, soit avec des enfants de 4 à 11 ans – j'ai commencé les ateliers philo par la question du bonheur. C'est un thème universel et simple d'accès sur lequel les enfants ont beaucoup à dire. Tenter de définir le bonheur stimule le travail sur les représentations. J'ai été frappé de la similitude des réponses d'un pays à l'autre, des grandes villes aux petits villages. Même si parfois l'accent n'est pas mis sur les mêmes éléments, les enfants s'accordent sur les idées essentielles – le nécessaire et le superflu ; l'être et l'avoir ; la distinction entre le bonheur et le plaisir – comme nous le verrons à travers ces deux ateliers menés dans la capitale de Côte-d'Ivoire et dans une petite ville du sud de la France.

Voici un large extrait d'un atelier mené à Abidjan, à l'école privée Les Sept Nains, dans une classe de CM1-CM2 (enfants de 8 à 11 ans).

FRÉDÉRIC : C'est quoi le bonheur, pour vous ?

UNE VOIX : Le bonheur, ça veut dire être joyeux. Ne jamais se fâcher envers les autres. Aimer toujours son prochain. Partager beaucoup de choses.

MARIE : Le bonheur, c'est une joie que tu partages avec quelqu'un.

ALYSSA : C'est ne pas se décourager. On est heureux quand on a eu quelque chose qu'on a toujours voulu avoir.

DONATELLA : Pour moi, le bonheur c'est toujours avoir le sourire. Ne jamais se fâcher avec ceux qu'on aime.

SAPHIRA : Pour moi, le bonheur c'est de toujours partager avec les autres.

UNE VOIX : C'est réaliser tous ses désirs.

🅕 : Et vous pensez que c'est possible de réaliser tous ses désirs ?

YENNI : Non, c'est impossible de réaliser tous ses désirs ! Dans la vie, on n'a pas tout ce qu'on veut. Et puis aussi, quand on a quelque chose, on veut avoir quelque chose d'autre, alors on ne sera jamais heureux.

F : Tu dis quelque chose d'important que les penseurs de l'Antiquité ont souligné : c'est que nous sommes toujours insatisfaits et que pour être heureux il faut apprendre à se satisfaire de ce qu'on a. L'un d'entre eux disait : « Le bonheur, c'est de continuer à désirer ce qu'on possède déjà. » Vous êtes d'accord avec ça ?

« Oui » général.

YENNI : Pour moi, le bonheur c'est de réussir dans la vie.

F : Qu'est-ce que ça veut dire, réussir dans la vie ?

YENNI : Avoir son diplôme et un métier qu'on aime.

F : Vous êtes d'accord ?

« Oui » général.

F : Qu'est-ce que tu veux rajouter ?

YENNI : Pour être heureux, il faut avoir une vie simple.

KERA : Je suis d'accord avec Yenni. Le bonheur, pour moi, c'est de vivre dans une maison simple avec des parents toujours heureux.

F : Et l'argent, ce n'est pas important ?

UNE VOIX : Si, l'argent c'est important. Sans argent personne n'aurait de maison, personne n'aurait de nourriture, personne ne pourrait aller à l'école.

UNE VOIX : Sans argent, on peut pas régler la facture de la maison.

Le plaisir,
c'est quelque chose
que j'ai envie d'avoir.
Le bonheur,
c'est une joie partagée
avec les autres.

MARIE (10 ans)

UNE VOIX : On ne peut pas payer la scolarité de ses enfants.

MARIE : Moi je pense que l'argent ce n'est pas si important, c'est l'amour qui est vraiment important dans la vie.

PÉNIEL : L'argent, c'est pas le plus important, mais sans argent personne ne peut réussir à vivre.

ORIANNE : Oui, mais si tu as beaucoup d'argent, tu peux acheter des choses qui ne sont même pas nécessaires et ça ne te rendra pas plus heureux pour autant.

Ⓕ : Orianne vient de faire une distinction entre le nécessaire et le superflu. Le nécessaire, vous l'avez dit, c'est avoir une maison, c'est manger, c'est pouvoir payer les factures d'électricité, c'est pouvoir aller à l'école. Et le superflu c'est quoi ? Qu'est-ce qui est superflu dans votre vie ?

PÉNIEL : Le superflu, ce sont les jeux vidéo.

KERAM : Les portables.

YOANN : Un ordinateur.

RIM : Une tablette.

SEAN : Un iPhone.

CADDIE : Des DVD.

AMANDA : Une Nintendo.

JOËL JUNIOR : Une PlayStation.

MARIE : Un tableau d'art.

UNE VOIX : Des rollers.

PÉNIEL : Une Xbox.

UNE VOIX : Ce sont les consoles de jeux.

SEAN : Un skate-board.

DONATELLA : Des ordinateurs portables.

PÉNIEL : Une voiture télécommandée.

MARIE : La télé.

F : Vous avez trouvé plein de choses superflues. Et est-ce que vous êtes d'accord pour dire que tout ça, c'est peut être utile, agréable, mais que ce n'est pas nécessaire pour être heureux, comme disait Orianne?

UNE VOIX : C'est pas forcément nécessaire, mais c'est mieux de les avoir pour être heureux.

Rires.

PÉNIEL : Ça permet de se divertir.

MARIE : Oui, mais tout ça, ça nous apporte juste du plaisir. Le plaisir, c'est quelque chose que j'ai envie d'avoir. Le bonheur, c'est une joie partagée avec les autres.

F : C'est très beau ce que tu dis, Marie. Vous êtes d'accord avec ça?

«Oui» général.

L'atelier retranscrit ici a été réalisé dans l'école publique Jacques-Prévert, dans une autre classe de CM1-CM2 de la petite commune de Pézenas (Hérault).

FRÉDÉRIC : Que vous évoque cette phrase de Jacques Prévert : « J'ai reconnu le bonheur au bruit qu'il a fait en partant » ?

YANIS : Moi, ça me fait penser à la cigale puisqu'elle chante, nous on aime bien, et après elle s'en va.

TEXANE : Ça veut dire que la sensation de bonheur quand elle est partie, elle fait un bruit...

🄵 : C'est quoi, le bruit dont il parle ?

UNE VOIX : Le silence.

HÉLOÏSE : Le bruit de ses pas ?

🄵 : Le bruit, pour le poète, c'est une métaphore de quelque chose d'autre. Qu'est-ce qui fait partir le bonheur ?

YANIS : Le malheur ?

🄵 : Voilà ! C'est lorsque le malheur est arrivé que j'ai reconnu le bonheur. Qu'est-ce que ça veut dire ?

ROBIN : Quand le malheur arrive, il repense au bonheur et il ne savait pas que c'était si bien avant.

YANIS : C'est une personne qui devient malheureux et après il pense à son passé.

BLAISE : C'est comme s'il se disait qu'il y avait quelque chose de bien qui se passait pour lui, et maintenant il se dit : «Oh, c'est nul, je ne m'en suis pas rendu compte plus tôt!»

Ⓕ : Exactement. Ce que veut dire Prévert, c'est que souvent, dans la vie, on ne se rend pas compte qu'on est heureux ou qu'on a tout pour l'être, et c'est lorsque le malheur arrive qu'on s'en rend compte. C'est finalement parce qu'on est malheureux qu'on sait ce que c'est que d'être heureux. Vous êtes d'accord avec ça ?

«Oui» général.

Ⓕ : Toi, tu n'es pas d'accord ?

UNE VOIX : Je n'ai pas compris.

Ⓕ : Quelqu'un peut lui expliquer?

ROBIN : Par exemple, quand tu pars en vacances et tu ne te rends pas compte que t'as de la chance d'être en vacances, mais après quand tu rentres à la maison, tu te dis : «C'était quand même mieux d'être en vacances!»

Rires.

BLAISE : C'est comme si t'avais plein d'amis, tu trouves ça normal, et tout à coup tu n'en as plus.

⑤ : Et alors ?

BLAISE : Après, quand tu les as perdus, tu te rends compte que c'était bien d'avoir des amis.

ROBIN : Des fois, je veux quelque chose et quand ma maman elle l'achète, je me dis : « Je veux encore autre chose. » Alors je pense qu'il y a des gens qui n'ont pas les sous pour acheter des cadeaux et ça me permet de me satisfaire de ce que j'ai déjà.

⑤ : C'est une autre idée qui est intéressante et on peut partir là-dessus. Est-ce qu'on peut être heureux si on désire toujours quelque chose ?

DES VOIX : Non !

⑤ : Pourquoi ?

YANIS : Des fois, on a tellement de choses que, à la fin, on s'ennuie avec. Alors finalement on n'est jamais heureux.

CHLOÉ : Des fois, quand on voit des choses, on se dit que ça a l'air bien, mais si on réfléchit on se dit qu'on a déjà d'autres choses chez nous et qu'on est déjà heureux avec ça.

UNE VOIX : Une mère, par exemple, elle n'échangerait rien contre son fils.

⑤ : Qu'est-ce que ça veut dire ?

LA MÊME VOIX : Que personne ne pourra acheter ce que j'aime.

ENZO : Oui, c'est vrai. Le bonheur c'est comme Noël. À Noël le truc le plus important, ce n'est pas les cadeaux, mais c'est être en famille et heureux.

🅕 : Vous pensez que l'amour passe avant l'argent et les choses matérielles ?

« Oui » général.

🅕 : Est-ce qu'il y en a qui pensent l'inverse ?

« Non » général.

🅕 : Bon, il y a une unanimité, là. Donc, effectivement, vous dites : les choses matérielles sont importantes, mais ça ne suffit pas. Moi, la question que je vous posais, c'était : est-ce qu'on peut satisfaire tous nos désirs ? Ou bien est-ce qu'on sera toujours insatisfait ?

MEHDI : Quand on veut quelque chose, nos parents souvent ils disent non, et ça rend heureux, parce que c'est pour notre bien qu'ils disent ça.

ROBIN : Moi j'aime bien, par exemple, quand on va dans un hypermarché pour voir ce que je veux, mais j'aime pas quand je dis : « Je veux ça » et que ma mère elle me l'achète. Je préfère attendre un peu pour l'avoir. Parce que si on a tout de suite tout ce qu'on veut, on n'est jamais content.

🅕 : Autre question : est-ce que vous voyez une différence, et laquelle, entre le bonheur et le plaisir ?

Le bonheur,
ça se vit,
et le plaisir,
ça se ressent.

MARIUS (9 ans)

TEXANE : Pour moi le bonheur c'est la solidarité, c'est les amis, c'est la famille... Et le plaisir c'est, par exemple, quand on t'offre quelque chose.

ESTEBAN : Le bonheur c'est quand ma maman elle m'achète quelque chose et le plaisir c'est quand je joue avec.

HÉLOÏSE : Le bonheur ça reste longtemps, alors que le plaisir c'est sur le moment.

Ⓕ : Tu dis quelque chose d'important : le plaisir c'est un moment court, alors que le bonheur ça dure plus longtemps. Vous êtes d'accord avec ça ?

« Oui » général.

Ⓕ : Les philosophes de l'Antiquité, comme Épicure ou Aristote, ont d'ailleurs inventé le concept de bonheur à partir de l'expérience du plaisir, et ils ont fait cette même distinction : le plaisir est une émotion immédiate, alors que le bonheur est un état d'être qui dure. Il n'y a pas de bonheur sans plaisir, nous disent-ils, mais pour accéder au bonheur le plaisir ne suffit pas. Pourquoi, à votre avis ?

ESTEBAN : Parce que le plaisir aussi, il a besoin de se renouveler. Et c'est toujours lié à quelque chose d'extérieur.

YANIS : Moi, je me dis que le bonheur c'est un sentiment, et le plaisir c'est une sensation.

BLAISE : Je suis d'accord. Moi, je dis que le plaisir ça se concentre surtout sur une chose. Alors que le bonheur, c'est lié à un ensemble de choses qu'on aime.

Ⓕ : C'est intéressant ce que vous dites ! Le plaisir est lié à une sensation, il est concentré sur une seule chose, alors que le bonheur, c'est un sentiment lié à un ensemble de choses : sa famille, l'activité qu'on fait, etc. Vous êtes d'accord ?

« Oui » général.

TEXANE : Ce que je voulais dire aussi, c'est que le bonheur c'est différent du plaisir, parce qu'on peut pas enlever le bonheur, alors que le plaisir ça peut partir facilement.

Ⓕ : Tu penses que le bonheur ne peut jamais partir ?

TEXANE : Non, parce que le bonheur c'est d'être avec nos êtres chers…

Ⓕ : Donc, tant qu'ils sont là, tu seras heureuse ?

TEXANE : Oui.

Qu'est-ce qu'une émotion ?

La thématique de cet atelier est celle, très importante pour les enfants, des émotions. Les études sur le cerveau montrent que l'intelligence émotionnelle, c'est-à-dire la capacité de comprendre ses émotions et d'apprendre à les maîtriser, s'acquiert progressivement. C'est un véritable art d'utiliser ses émotions. Il est donc capital pour les enfants d'apprendre tôt à les identifier, les nommer et savoir comment les contrôler, les gérer. J'ai évoqué ce thème dans presque toutes les écoles où j'ai mené des ateliers philo, et à chaque fois j'ai été frappé du vif intérêt qu'ont les enfants de tous âges à parler de leurs émotions, à chercher à distinguer les sentiments des émotions.

J'ai réalisé l'atelier qui suit avec des enfants de 7-8 ans dans une école primaire de Bruxelles-Molenbeek, où je m'étais déjà rendu plusieurs fois, moins de trois semaines après les attentats de Bruxelles (22 mars 2016), qui ont fait 32 morts et 340 blessés. Comme ceux de Paris, ces attentats orchestrés par des personnes demeurant à quelques pas de cette école étaient dans tous les esprits, mais je n'ai pas voulu commencer l'atelier en abordant directement le sujet. Je l'ai fait, en cours de discussion, par le biais des émotions que les enfants ont ressenties lors de ces drames.

> **FRÉDÉRIC :** Qui sait ce que c'est qu'une émotion ?
>
> **SOUMAYA :** On pleure, on est joyeux, on est triste, on est fâché, on est joyeux...
>
> **F :** Voilà. Et ça, ce sont des ressentis. Tu as dit : la tristesse, la joie, la colère. Et quoi encore ?
>
> **SOUMAYA :** La peur.
>
> **F :** Tout à fait. Ce sont les émotions fondamentales. On va partir de la peur. Est-ce que la peur, c'est une émotion agréable ?
>
> **VOIX EN CHŒUR :** Non !
>
> **F :** Donc la peur ce n'est pas une émotion agréable. Mais est-ce qu'on peut dire que c'est toujours une émotion négative ?
>
> **UNE VOIX :** Non.

F : Pourquoi ce n'est pas toujours une émotion négative, si c'est désagréable ?

SOUMAYA : Parce que des fois ça fait peur, mais après c'est drôle…

F : C'est vrai, mais mis à part les fois où on s'amuse à se faire peur, à quoi ça sert la peur ?

REDA : Par exemple, si ton frère il est en danger et que tu n'as jamais peur, eh ben tu le sauves pas ?

F : Tout à fait. Est-ce que ce n'est pas utile d'avoir peur s'il y a un danger ?

VOIX EN CHŒUR : Oui.

F : La peur n'est pas forcément négative. Vous êtes d'accord ?

PLUSIEURS VOIX : Oui.

F : Donc, même si elle est désagréable, la peur n'est pas une émotion négative ou positive en tant que telle. Elle peut être négative quand elle nous paralyse, quand on ne peut plus faire les choses qu'on voudrait faire à cause d'elle. Mais la peur peut être positive si elle nous avertit qu'il y a un danger.

VOIX : Oui.

F : Maintenant, on va parler d'une autre émotion qui est la colère. Est-ce que la colère c'est une émotion négative ou positive ?

LINA : C'est négatif.

🅕 : Pourquoi?

LINA : Parce que quand on s'énerve, on n'arrête pas de penser à ça.

MOHAMED AMINE : Oui, c'est négatif.

🅕 : Pourquoi?

MOHAMED AMINE : Parce que ce n'est pas utile.

🅕 : Est-ce que vous êtes tous d'accord avec Mohamed Amine, que ce n'est jamais utile d'être en colère?

DES VOIX : Non.

EVA : Parce que parfois on se dispute, on est en colère, après on fait la paix et l'histoire est réglée.

KEVIN : S'il y a quelqu'un qui est méchant et qui frappe quelqu'un d'autre, ça met en colère et on peut l'aider.

🅕 : La colère peut nous faire réagir contre l'injustice. Vous êtes d'accord avec ça?

DES VOIX : Oui.

🅕 : Vous voyez que la colère peut avoir un aspect négatif et positif. Comme la peur. Et la tristesse? Est-ce que c'est une émotion positive ou négative?

SOUMAYA : La tristesse, c'est négatif, parce quand ma grand-mère elle est morte, j'étais triste et je n'arrêtais pas de pleurer…

LINA : Moi, je dis que c'est aussi parfois positif, parce que des fois, quand je pleure, ça me fait du bien.

Ⓕ : Les deux peuvent être vrais, en effet. Maintenant, je voudrais qu'on parle de la quatrième émotion que vous avez citée tout à l'heure, qui est la joie. Est-ce que la joie c'est toujours positif ?

VOIX NOMBREUSES : Oui !

Ⓕ : Je dirais que c'est toujours agréable. Mais est-ce qu'il vous arrive d'avoir des fausses joies ?

DES VOIX : Oui.

Ⓕ : Alors, racontez-moi, quelqu'un qui a eu une fausse joie.

NASSIM : Quand on est allés au parc, y avait un ballon, je vais pour sortir et je vois des gouttes de pluie… Alors j'étais joyeux et après j'étais triste.

ANDREI : Mon cousin il avait dit qu'il devait venir chez moi, et j'étais content. Il est venu chez moi, mais il a cru qu'on n'était pas à la maison et il est reparti, alors j'ai été triste.

LINA : Un jour, j'étais avec ma maman, elle m'a dit d'aller m'acheter une glace et j'étais toute joyeuse, et après ma boule de glace elle est tombée, alors j'étais triste.

Ⓕ : Vous voyez que la joie c'est une émotion très agréable et généralement positive, mais parfois il y a des fausses joies : la joie peut être négative dans la mesure où on peut se tromper si elle est fondée sur une idée erronée. Donc, toutes les émotions, qu'elles soient agréables ou désagréables, peuvent être positives ou négatives. Vous êtes d'accord avec ça?

«Oui» général.

O : Je voudrais qu'on parle d'un moment qui a été très marquant, quand il y a eu les attentats, ici à Bruxelles, et qu'il y a eu beaucoup de gens qui sont morts. Quelles émotions vous avez ressenties?

UNE VOIX : De la tristesse.

O : Et pourquoi tu as ressenti de la tristesse?

LA MÊME VOIX : Parce que c'est pas gentil de tuer des gens qui n'ont rien fait.

VALJETA : J'étais triste. J'ai pleuré à cause de la même chose…

MOHAMED AMINE : Moi j'ai ressenti de la peur. Parce que ça fait peur de mourir.

SOUMAYA : Moi de la tristesse et de la peur.

O : Pour quelles raisons?

SOUMAYA : J'avais peur de mourir et j'ai été triste que tous ces gens qui n'ont rien fait soient morts.

AYMANE : Moi aussi j'ai ressenti de la tristesse, mais aussi de la joie.

On peut maîtriser
une grosse émotion,
par exemple la colère,
si on analyse pourquoi
on est en colère.
C'est la réflexion
qui nous aide
à maîtriser nos émotions.

LÉA (9 ans)

Ⓕ : De la joie ?! Pourquoi ?

AYMANE : Parce qu'on a attrapé les terroristes et après ils sont morts.

MANAL : Moi aussi, triste et contente.

Ⓕ : Pourquoi ?

MANAL : J'étais triste parce que j'ai vu à la télé que ça avait explosé et qu'il y avait plein de gens blessés. Mais j'étais contente que les terroristes ils soient morts, ou qu'on les a attrapés après.

NASSIM : Moi je suis triste parce qu'il y a des enfants qui sont morts.

ANDREI : Triste et en colère.

Ⓕ : Pourquoi ?

ANDREI : Je suis triste parce qu'il y a des gens qui sont morts et en colère parce que ça m'énerve qu'on tue des gens qui n'ont rien fait.

EVA : Moi aussi, je suis triste et en colère, parce qu'ils tuent des gens qui n'ont rien fait.

MOHAMED AMINE : Moi je suis en colère qu'on tue des gens qui n'ont rien fait, et des gens qui ont fait des bonnes choses dans la vie.

ÉDOUARD : Moi, j'ai surtout eu peur pour ma maman, parce qu'elle était dans le métro et que ça a explosé juste de l'autre côté de l'arrêt où elle était.

MANAL : Moi, j'étais triste, mais j'avais très peur, parce que ma maman elle était dans le métro aussi et j'avais eu peur qu'elle soit encore là-bas quand ça a explosé.

SOUMAYA : Moi j'ai eu peur pour mon frère, parce qu'il allait prendre le métro et il y a des amis à lui qui sont morts.

Ⓕ : Et qu'est-ce que vous pensez des terroristes qui ont décidé de poser des bombes et de tuer des gens ? Pourquoi ils ont fait ça ?

NASSIM : Les terroristes, ils sont fous.

SOUMAYA : Moi, je dis qu'ils sont fous.

MOHAMED AMINE : Moi aussi, je dis qu'ils sont fous.

KEVIN : Ils sont idiots.

ÉDOUARD : Ils sont bêtes et fous.

SALWA : Ils sont fous.

CANDY : Moi, je pense qu'ils sont malades.

KEVIN : Ils sont cinglés.

YOUSSEF : Ce sont des crétins.

MOHAMED AMINE : Ils sont complètement dingues.

MANAL : Moi, je trouve qu'ils sont super fous, parce qu'ils tuent des gens qui ont rien fait.

AYMANE : Ils sont super fous, parce qu'ils tuent des gens et après ils se tuent eux-mêmes.

🅟 : Oui, et pourquoi ils se tuent ?

AYMANE : Parce qu'ils croient qu'ils vont aller au paradis.

🅟 : Et est-ce que vous croyez qu'ils vont aller au paradis ?

CRI GÉNÉRAL : NON !

🅟 : Alors là, c'est unanime ! Est-ce que quelqu'un croit qu'ils vont aller au paradis ? Et sinon pourquoi ils n'iront pas au paradis, selon vous ?

MOHAMED AMINE : Parce qu'ils tuent les gens qui n'ont rien fait.

ANDREI : Parce que Dieu il aime tous ceux qui font du bien et pas les méchants.

AYMANE : Ils vont aller direct en enfer sans parler avec Dieu.

SOUMAYA : Dieu n'a jamais demandé qu'on tue les gens, alors ils vont aller en enfer.

CANDY : Dieu ne leur a pas demandé de tuer des gens...

EVA : Ils ne vont pas aller au paradis, parce que Dieu il fait envoyer au paradis tous ceux qui sont gentils, et eux, ils ne sont pas gentils.

J'aimerais compléter cet atelier sur les émotions par un extrait d'un atelier effectué sur le même sujet avec les élèves, un peu plus âgés, de la classe de CM1 de l'école Fénelon à Paris. Plusieurs autres questions sont ici abordées : Comment gérer ses émotions ? La différence entre émotion et sentiment. Le lien entre émotion et bonheur.

FRÉDÉRIC : La dernière fois on a parlé du bonheur, et aujourd'hui on va parler des émotions. C'est quoi une émotion ?

JEANNE : C'est la joie, la tristesse, la peur et la colère...

LÉA : C'est comme une humeur à petite durée.

🅕 : Oui, c'est une humeur qu'on ressent pour un temps limité. Est-ce que les émotions on peut décider de les avoir ou pas ?

PRISCA : Non, on n'a pas le choix, mais après on arrive à se maîtriser.

JEANNE : Par exemple, on se met en colère, mais après ça ne va pas durer.

LUCILLE : Oui, parfois, on est en colère contre quelqu'un, mais cinq minutes après, par exemple, on se rend compte qu'on s'est mis en colère pour rien, et du coup on peut s'excuser.

F : Qu'est-ce qui nous permet de maîtriser une émotion, comme cette colère dont tu parles?

LUCILLE : Eh bien de réfléchir, justement.

UNE VOIX : Oui, on réfléchit et après on se calme.

F : Donc c'est la raison, la pensée, qui nous permettent de maîtriser nos émotions.

«Oui» général.

HECTOR : Si on a peur, on peut aussi demander à un adulte de nous rassurer.

F : Tout à fait : il va te donner des raisons de ne pas avoir peur. On a dit que les émotions étaient passagères. Est-ce que parfois les émotions peuvent durer?

UNE VOIX : Oui

F : Et comment on appelle ça, une émotion qui dure, comme l'amour par exemple?

LA VOIX : Un sentiment.

F : Bravo! Quand vous êtes dans une tristesse qui dure, vous dites : «Je suis dans un sentiment de tristesse.» Comme vous êtes dans une joie qui dure, vous êtes dans un sentiment de joie. Quand vous êtes dans un amour qui dure, vous êtes dans un sentiment d'amour. Et pas simplement dans une émotion passagère. Vous êtes d'accord avec ça?

«Oui» général.

Ce sont plus souvent
les émotions
qui nous contrôlent
que nous
qui les contrôlons.

CHRISTOPHE (10 ans)

LÉA : Mais la joie quand elle dure, c'est le bonheur, alors ?

F : Oui, tu as raison, et il y a un philosophe qui s'appelle Spinoza qui dit que quand on est tout le temps habité par un sentiment de joie, c'est qu'on a atteint la félicité, le bonheur parfait et durable. Mais on peut aussi être heureux sans ressentir en permanence de la joie.

ARTHUR : Oui, parce que la joie c'est quelque chose qu'on ressent et qu'on a au fond de soi, alors que le bonheur c'est quelque chose de global, qui vient des choses bien qui nous arrivent.

F : Arthur dit quelque chose d'essentiel, c'est que le bonheur c'est un état global d'harmonie, de sérénité, parce qu'on aime la vie qu'on mène. Alors que la joie, c'est plus concret, puisque c'est une émotion. Mais évidemment, il peut y avoir un sentiment de joie qui, s'il est quasi permanent, devient une forme intense de bonheur. Un bonheur très fort, parce que incarné dans la joie.

VIOLETTE : Un sentiment ça peut durer plusieurs jours ?

F : Ça peut même durer une vie entière : tu peux aimer tes parents toute ta vie, par exemple.

VIOLETTE : Oui, mais imaginons la colère : est-ce que ça peut durer toute la vie ?

🅕 : Oui, il y a des gens qui sont en colère, ou tristes, ou dans la peur toute leur vie.

UNE VOIX : Pourquoi ?

🅕 : Ça vient souvent de leur enfance : ils ont eu des relations difficiles et douloureuses avec leurs parents, et après s'ils ne font pas un travail sur eux-mêmes, une psychothérapie par exemple, ils peuvent continuer à être habités par un sentiment de colère, de peur ou de tristesse très longtemps.

VIOLETTE : Est-ce que ça se peut alors que quelqu'un dès sa naissance n'ait jamais été heureux ?

🅕 : Qu'est-ce que vous en pensez ? Est-ce qu'on peut ne jamais avoir été heureux dans sa vie, ou pas ?

UNE VOIX : Oui.

UNE AUTRE : Non.

JEANNE : Une femme, quand elle a un bébé, elle est au moins heureuse une fois dans sa vie.

LANCELOT : Quelqu'un qui va vivre très longtemps, quatre-vingts ans par exemple, c'est très improbable qu'il n'y ait pas un seul moment où il soit heureux.

🅕 : Oui, y a toujours des moments de malheur et des moments de bonheur dans la vie. Après, ils sont plus ou moins longs selon les personnes et il y a des gens qui vont vivre beaucoup plus dans un état de bonheur et d'autres beaucoup plus dans un état malheureux.

Qu'est-ce que l'amour ?

L'amour est, de la maternelle au CM2, un thème qui passionne toujours les enfants et sur lequel ils font preuve d'une étonnante maturité. Même s'ils n'ont pas encore l'expérience des relations sexuelles, ils parlent fort bien de la passion amoureuse, de sa force et de toutes ses complications, mais aussi de la famille, de l'amitié, de la compassion, ou même de l'amour de la nature. La réflexion philosophique permet aux enfants de mieux nommer la diversité de leurs expériences affectives et de mieux discerner la complexité de ces expériences, les aidant ainsi à être plus lucides sur eux-mêmes et sur les autres. J'ai eu beaucoup de mal à choisir un atelier, tant ils étaient tous intéressants.

J'ai retranscrit presque en intégralité l'atelier d'une classe de CM1-CM2 (enfants de 8 à 11 ans) réalisé dans le village de Brando, en Haute-Corse.

FRÉDÉRIC : C'est quoi l'amour ?

GENNA : C'est un sentiment.

Ⓕ : Pourquoi ?

GENNA : C'est un sentiment, parce que c'est quelque chose que l'on ressent.

ANAÏS : L'amour, c'est quand on aime quelqu'un. On commence à bien l'aimer, on est souvent ensemble, et au bout d'un moment on se marie, et après on est toujours ensemble.

CHRISTOPHE : C'est ce qu'on peut ressentir pour notre mère et notre père.

GENNA : Il y a aussi l'amitié !

Ⓕ : C'est quoi l'amitié ?

GENNA : C'est de l'amour, mais pas amoureux.

SARAH : C'est quand on s'entend bien.

ELIA : L'amour et l'amitié, c'est quand on a envie de rester ensemble toute la vie.

RUBEN : Oui mais des fois, les adultes ils se battent, pas en bagarre, mais avec des mots.

Ⓕ : Et pourquoi ils se battent ?

RUBEN : Parce qu'ils sont énervés.

Ⓕ : Et est-ce que ça veut dire qu'ils ne s'aiment plus, quand ils se disputent ?

RUBEN : Non, ils s'aiment quand même.

ANTOINE : Oui, mais des fois l'amour ça peut se casser et après ils se séparent…

UNE VOIX : On peut divorcer, si on est marié avec l'autre.

GENNA : Mais des fois, plus on se connaît plus on s'aime, parce qu'on dépasse les choses extérieures pas importantes, comme le physique et tout ça.

Ⓕ : Il y a un grand artiste, qui s'appelle Léonard de Vinci, qui disait la même chose que toi : «Plus on connaît, plus on aime.» C'est-à-dire qu'on dépasse les apparences et plus on connaît la personne, plus on peut l'aimer pour ce qu'elle est vraiment. C'est ce que tu penses ?

GENNA : Oui.

JULIE : C'est vrai, quand on aime quelqu'un, au début on ne l'aime pas forcément parce qu'il n'est pas très beau ou pas très belle, et en fait ce n'est pas le physique qui compte, c'est comment on est à l'intérieur. Si la personne elle est gentille, méchante, sincère ou pas. Par exemple, il y a une personne qui n'est pas très jolie, mais pourtant qui est gentille, et une personne qui peut être très belle, mais qui est très méchante…

ELIA : Des fois, il y a des gens qui font semblant d'être amoureux d'une personne. Et si la personne est très amoureuse de quelqu'un qui fait semblant d'être amoureux, après ça lui fait de la peine.

JULIE : Je suis d'accord avec Elia, parce qu'on n'a pas le droit de jouer avec les sentiments de quelqu'un. C'est pas bien et ça fait de la peine à l'autre quand il va savoir que c'est faux.

Ⓕ : Il y a des gens qui font ça ?

JULIE : Parfois il y a une fille qui est belle, le garçon va jouer avec ses sentiments, parce que au fond de lui il ne l'aime pas, il est avec elle juste parce qu'elle est belle.

MATTHIAS : Mais l'amour c'est pas uniquement l'amour amoureux. Il y a l'amour de notre mère, par exemple.

Ⓕ : C'est ce qu'a dit Christophe tout à l'heure. Donc, vous voyez, vous avez déjà dit qu'il y a l'amour des parents pour les enfants et des enfants pour les parents, c'est de l'amour. Il y a l'amitié, c'est de l'amour. Et il y a l'amour amoureux. Vous avez défini ces trois types d'amour.

Dès qu'on voit
quelqu'un
qui nous plaît,
ça fait cui-cui
dans notre coeur !

CHRISTOPHE (10 ans)

ELIA : Il n'y a pas que l'amour pour les parents, il y a aussi l'amour pour toute la famille, pour les frères et sœurs aussi, les oncles et tantes, les grands-parents.

F : Tout à fait.

JULIE : Parfois, on a de l'affection pour les animaux.

GENNA : L'amour pour la nature aussi ?

F : Qu'est-ce que tu ressens quand tu es dans la nature ?

GENNA : Je suis émue parce que je trouve que c'est beau. Mais si un arbre est coupé, ou quand je vois des déchets dans la nature, alors je suis un peu triste.

MARINA : Quand on est dans la nature, on se sent libre. On se sent aidé. Parce qu'on est dans un endroit qu'on aime et si on a un problème, ça nous aide à le régler.

ELIA : Moi, c'est comme Genna, quand on partait couper les arbres, je ne voulais pas y aller, car ça me faisait de la peine de couper des arbres, parce que l'arbre, c'est quelque chose de vivant. C'est comme si on coupait une vie.

ANTOINE : Moi c'est pareil qu'Ella, il ne faut pas couper les arbres, parce que les arbres ils nous aident à respirer et à vivre. C'est comme si c'était un échange entre nous et la nature.

SARAH : Moi, c'est un peu pareil qu'Ella, sauf que c'est avec les animaux. Mes parents ils aiment aller à la pêche et moi je ne veux pas y aller, car je n'aime pas voir les poissons mourir dans les sacs, ça me fait de la peine.

ANAÏS : Moi, quand je vois un animal dans mon assiette, je dis «non merci», je n'ai pas envie de le manger, parce que ça me fait de la peine de manger des animaux.

🅵 : Tu es végétarienne? Tu ne manges jamais d'animaux?

ANAÏS : Si, j'en mange parfois, mais pas toujours, et ça me fait de la peine quand j'en mange.

MATTHIAS : On peut aimer des objets aussi?

🅵 : Donne-moi un exemple.

MATTHIAS : Moi j'aime bien les voitures.

🅵 : Est-ce que c'est un sentiment?

MATTHIAS : Je ne sais pas.

ANTOINE : Oui, par exemple si on construit des Lego et si quelqu'un vient marcher dessus et les casser, eh bien vu qu'on les aimait, ça nous fait de la peine.

🅵 : Tu veux dire qu'on a un attachement par rapport à nos jouets, par exemple?

ANTOINE : Oui.

CHRISTOPHE : Moi, j'avais un doudou quand j'étais tout petit et je l'ai gardé. Et un jour j'ai énervé ma mère et elle l'a jeté à la poubelle. Et après, j'étais triste.

JULIE : On peut aussi aimer les livres. Pour les garçons, ils aiment le foot, les filles elles aiment la danse.

F : Vous avez déjà défini de nombreuses formes d'amour : l'amour amoureux, l'amour d'amitié, l'amour de la famille, l'amour de la nature et des animaux, l'amour des objets, l'amour de la lecture ou des activités sportives ou culturelles...

GENNA : Parfois il y a des gens qu'on n'aime pas, ou qu'on ne connaît pas, mais s'il leur arrive quelque chose de grave, comme une maladie, ou un attentat terroriste, on sera triste quand même. C'est peut-être aussi une forme d'amour ?

F : Oui, et comment tu appellerais cet amour-là ?

GENNA : Je ne sais pas.

LILIA : L'attachement.

F : L'attachement c'est plutôt quand on est lié par un lien personnel. Là, c'est quelqu'un qu'on ne connaît pas, mais il lui arrive une épreuve et on ressent quelque chose.

ELIA : C'est de l'affection.

Ⓕ : L'affection c'est plutôt aussi dans les relations personnelles. Ce que dit Genna, ça s'appelle la compassion. Vous connaissez ce mot ?

VOIX : Non.

Ⓕ : La compassion, ça veut dire qu'on est triste parce qu'il arrive quelque chose de très douloureux à des êtres vivants qu'on ne connaît pas forcément. On peut ressentir de la compassion des gens qui meurent de faim en Afrique, on peut ressentir de la compassion pour des clochards qui sont dans la rue. On peut ressentir de la compassion aussi pour des animaux qui souffrent dans les abattoirs. On ne les connaît pas, ce ne sont pas nos amis, mais on ressent une forme d'amour pour eux, leur souffrance nous touche.

JULIE : En début d'année, quand Matthias il est arrivé, personne ne jouait avec lui. Et parfois, je l'embêtais, comme au carnaval : je voulais lui faire peur, mais en fait il s'était fait mal et j'ai eu de la compassion pour lui, alors je lui ai mis de l'eau et j'ai souri.

CHRISTOPHE : J'ai déjà éprouvé de la compassion pour quelqu'un : un moniteur qu'on ne connaît pas vraiment. Un jour sa mère est tombée très gravement

L'amour,
c'est à la fois un sentiment
et une émotion.
C'est un sentiment,
parce que ça peut durer
toute la vie,
comme les parents.
Mais c'est aussi une émotion,
parce que quand
on est adolescent,
des fois, on est amoureux
et ça ne dure pas.

CAMILLE (8 ans)

malade et j'ai éprouvé de la compassion pour lui. C'est de l'amour, mais ce n'est pas la même chose que l'amour quand on est amoureux.

🅕 : C'est quoi la différence?

CHRISTOPHE : Dès qu'on voit quelqu'un qui nous plaît, ça fait cui-cui dans notre cœur!

Rires.

JORDAN : Comme la première fois que j'ai rencontré Sarah, il y a mon cœur qui la regardait et il battait, il battait, et après j'ai dit une phrase charme pour les demoiselles.

Rires.

UNE VOIX : C'est vrai, quand on sent l'amour, on a le cœur qui bat fort.

🅕 : Est-ce qu'on a le cœur qui bat uniquement quand on tombe amoureux?

FRANCESCA : Les gens de la famille on les a déjà vus plusieurs fois, donc on les connaît et notre cœur ne bat pas à chaque fois qu'on les revoit.

GENNA : Mais parfois on a le cœur qui bat pour la famille, par exemple quand on est maman, que notre fille ou notre fils est sorti et qu'il ne rentre pas, on a le cœur qui bat parce qu'on l'aime et parce qu'on a peur pour lui.

BLANDINE : À la naissance d'un enfant, on est touché et on a le cœur qui bat fort.

JORDAN : Parfois je vais le week-end chez ma maman. Quand elle arrive je lui fais des bisous pour lui dire bonjour et je lui dis que je l'aime, et si elle ne me disait pas qu'elle m'aime aussi, c'est comme si elle me jetait dans une poubelle.

🅕 : C'est déjà arrivé ?

JORDAN : Non, mais je serais trop triste si ça arrivait un jour.

MATTHIAS : Moi avec ma mère j'ai beaucoup beaucoup beaucoup beaucoup de câlins… J'ai des câlins et des bisous à longueur de journée, toutes les minutes, donc je ne me sens jamais rejeté.

🅕 : Revenons à la relation amoureuse : c'est quoi être amoureux ?

GENNA : Être amoureux, c'est comme l'a dit Christophe, quand on voit quelqu'un on sait déjà qu'on est amoureux de lui…

🅕 : Dès le début ?

GENNA : Pas obligé. Parfois, c'est quand on joue ensemble puis après on voit qu'on a un sentiment amoureux. Parfois on est amoureux de quelqu'un mais l'autre personne elle n'est pas amoureuse, alors ça nous rend triste… On peut pleurer souvent à cause de ça…

FRANCESCA : Quand on est amoureux de quelqu'un, on a envie de passer sa vie avec la personne.

LIA : Quand on n'aime pas la personne dès le début, on l'aime un peu et ensuite, quand on le voit plusieurs fois, on l'aime un peu plus.

JORDAN : Quand j'étais en maternelle, y avait une fille qui m'aimait, et moi pas trop au début. Après, j'ai commencé à lui dire en récré que j'avais un peu plus de sentiments pour elle, et elle a commencé à s'exciter, et elle m'a harcelé.

Rires.

ELIA : Parfois il y deux meilleures amies qui sont amoureuses du même garçon et ça peut créer des disputes. Tout ça à cause d'un garçon qu'elles aiment toutes les deux.

CHRISTOPHE : Moi je dis qu'il ne faut pas trop s'attacher à une personne, parce que si un jour cette personne ne t'aime plus ou si elle meurt, tu vas pleurer pendant des jours et des jours.

Ⓕ : Tu dis que si on ne veut pas souffrir, il vaut mieux ne pas trop s'attacher. Mais il faut s'attacher quand même un peu, ou pas ?

CHRISTOPHE : Oui, mais il ne faut pas trop s'attacher quand même. Moi je m'étais trop attaché à mon chien et quand il est mort j'étais trop malheureux.

Ⓕ : J'ai écrit un livre sur ce thème-là. Ça s'appelle *Cœur de cristal.*

PLUSIEURS VOIX : Oui!

UNE VOIX : On a lu.

Ⓕ : C'est une petite fille, son chien est mort et elle dit : plus jamais je ne vais pouvoir avoir un chien, parce que ça m'a fait trop souffrir. Et puis son grand-père lui dit : «Au contraire, il faut ouvrir encore plus ton cœur.» Alors, si j'écris ça, c'est pour dire qu'effectivement on a peur de souffrir, parce que l'amour peut nous faire souffrir. Est-ce que vous êtes tous d'accord avec ça, que l'amour ça peut nous faire souffrir?

VOIX : Oui.

Ⓕ : Et est-ce que c'est une raison pour ne pas s'attacher?

VOIX : Non.

GENNA : Mais par contre, il ne faut pas trop s'attacher, comme disait Christophe. Par exemple, si on rencontre quelqu'un qui a des problèmes de cœur, il ne faut pas beaucoup s'attacher parce qu'il risque de mourir.

F : Et tu crois qu'on peut arriver à maîtriser ses sentiments ?

GENNA : oui.

F : Vous avez dit qu'on pouvait avoir plusieurs amis. Mais est-ce qu'on peut avoir plusieurs amoureux ?

UNE VOIX : Oui.

ELIA : Des fois on peut tomber amoureux de deux garçons et un garçon être amoureux de deux filles.

GENNA : C'est vrai qu'une fille peut tomber amoureuse de deux garçons, sauf qu'elle ne peut pas sortir avec les deux.

F : Tu fais une distinction intéressante. Tu dis : on peut être amoureux de plusieurs personnes, mais on peut sortir qu'avec une seule personne. Peux tu expliquer pourquoi ?

GENNA : Je n'arrive pas à expliquer...

FRANCESCA : Parce qu'on peut faire de la peine à un des deux. On ne peut pas vivre une double vie.

ELIA : Des fois, il y a un garçon qui peut être amoureux de deux filles, mais elles ne le savent pas et il dit par exemple : « Je vais chez des copains », et en fait il va sortir avec une autre fille.

F : C'est terrible, les garçons !

Rires.

MARINA : Si on sort avec deux personnes, quand les personnes elles le savent elles vont se disputer et ça va faire beaucoup d'histoires.

JULIE : En fait on ne peut pas vivre avec deux personnes, parce qu'on ne peut pas se couper en deux.

GENNA : Si on aime deux personnes, on sera obligé de choisir si on veut être juste, parce que dans notre cœur il y aura toujours une petite préférence pour l'une plutôt que l'autre.

F : Est-ce que vous avez remarqué aussi que l'amour peut rendre violent ?

FRANCESCA : Oui, parce que quand on aime quelqu'un, si la personne va avec quelqu'un d'autre eh bien on va avoir de la haine.

JULIE : Il y a une fille qui sortait avec un garçon qui lui a dit qu'il ne l'aimait plus et il est allé avec une autre fille. Elle, pour qu'il retourne avec elle, elle a voulu tuer l'autre fille.

GENNA : Parfois, il y a des gens qui se bagarrent pour une personne, donc la personne elle est affolée et elle dit : « Tout ça c'est à cause de moi, donc je vais me tuer », ou sinon c'est les deux garçons qui vont s'entretuer.

RUBEN : Ma tata et mon tonton, quand ils se sont séparés, eh bien mon tonton il était tellement énervé qu'il a brûlé la voiture de ma tata.

🅕 : Est-ce que quand les gens sont comme ça, violents, et même parfois capables de tuer les autres, par jalousie, est-ce que c'est encore de l'amour?

UNE VOIX : Non, c'est de la haine.

🅕 : Et pourquoi l'amour et la haine sont aussi proches?

Pas de réponse.

🅕 : Quand on aime quelqu'un, on a envie que l'autre soit heureux, et en même temps, comme on est attaché à l'autre, on peut être jaloux et on peut basculer dans la haine si l'autre nous quitte, etc. Donc, vous avez vu, c'est ambivalent, l'amour. C'est un sentiment complexe, c'est pour ça que c'est bien que vous y réfléchissiez, parce que toute votre vie vous serez peut-être pris par ces émotions contradictoires.

C'est quoi un ami ?

J'ai extrait de l'atelier précédent sur l'amour, effectué avec les enfants de la classe de CM1-CM2 de Brando, la partie plus spécifique sur l'amitié. Je me suis rendu compte que les enfants distinguent très bien les amis des amoureux et même des copains, et ce qu'ils disent de l'amitié est souvent touchant car c'est une expérience forte dans leur vie. Elle leur est si connue et quotidienne qu'elle facilite l'instauration de la pensée et favorise des débats vivants auxquels la plupart des enfants participent.

FRÉDÉRIC : J'aimerais, pour finir, qu'on parle un petit peu plus de l'amitié. C'est quoi un ami ?

FRANCESCA : Un ami ou une amie, c'est quelqu'un à qui on dit tout.

NATHAN : Un ami, c'est quelqu'un qui est fidèle et qui va t'aider tout le temps.

EVAN : Un ami, c'est quelqu'un qui t'aime.

Ⓕ : Oui, mais ta maman, elle ne t'aime pas ?

EVAN : Si.

⑫ : Alors, qu'est-ce qui fait la différence de l'ami ?

EVAN : Les amis, ça aide.

CHRISTOPHE : Il faut faire la différence entre les amis et les copains. Les copains, on en a tous les jours et on joue avec eux. Mais un ami, en fait, on lui dit tout, il est là dans les moments où on a besoin de lui, il nous soutient toujours. C'est un peu comme notre frère, en fait.

GENNA : Moi, je dis que ce n'est pas exactement ça. Les copains et les amis, je pense que c'est pareil, mais par contre ceux à qui on dit tous les secrets, c'est les meilleurs amis et les meilleurs copains.

JULIE : Moi je ne suis pas d'accord avec toi, mais avec Christophe : un copain c'est quelqu'un que tu aimes bien, tu peux jouer avec lui, mais tu ne vas pas tout lui dire, alors qu'un ami c'est quelqu'un qui doit garder les secrets que tu lui dis. Dans les moments difficiles, un ami c'est toujours là, et c'est un peu comme un frère.

ELIA : Moi je différencie aussi les copains et les amis. Mais je dirais l'inverse de Christophe : les copains, on ne les voit pas tous les jours, alors que les amis, en général, on les voit souvent.

MATTHIAS : Un copain, on joue avec lui à la récréation, mais un ami il peut venir chez moi, à la maison.

CHRISTOPHE : Je suis d'accord avec Genna que des fois les copains et les amis, c'est pareil. Mais il y a une grosse différence entre les deux, c'est qu'un ami, on en a un seul, deux ou trois au maximum, alors que les copains, on peut en avoir dix millions.

Ⓟ : Qu'est-ce que tu en penses, Genna ?

GENNA : Je ne sais pas trop.

JULIE : Je suis d'accord avec Christophe. Moi, en fait, ma meilleure amie c'est Genna, et après j'ai plein d'autres copines : Jenny, Sarah, Blandine, Marina, et j'en ai plein qui sont au CE1. À Genna, je peux lui dire mes secrets.

BLANDINE : Un ami, c'est quelqu'un à qui tu t'attaches beaucoup. Beaucoup plus profondément qu'à un copain. Alors quand tu changes de ville ou d'école, tu perds tes copains, mais pas tes amis.

Un ami,
c'est quelqu'un
qui est fidèle
et qui va t'aider
tout le temps.

NATHAN (8 ans)

Sur l'amitié, voici l'extrait d'un atelier réalisé avec des enfants plus petits de CP-CE1 (6-7 ans) de l'école publique Jacques-Prévert à Pézenas (Hérault).

Ⓕ : C'est quoi un ami ?

KATHLEEN : Un ami, c'est quand on passe de très bons moments ensemble.

MIA : J'avais ma copine, elle est tombée, et moi je l'ai aidée. Ça sert à ça une amie.

LANA : Une amie c'est quelqu'un qui est là pour toi et pour partager des choses ensemble.

CAPUCINE : Être amies, c'est de pouvoir être ensemble, de se consoler quand on est triste, de s'aider, de se parler et de jouer ensemble aussi.

ROMAIN : Pour moi c'est presque comme ma famille, les amis.

MANEL : C'est s'amuser ensemble. On joue avec nos amis.

MIA : Moi, mon amie c'est un peu comme une sœur de cœur et on s'aime tellement qu'on aimerait vivre ensemble.

Rires.

MAYSSAE : Une amie, c'est du bonheur, c'est avoir du bonheur à deux.

🅕 : Est-ce qu'on peut avoir plusieurs amis ?

« Oui » général.

🅕 : Vous êtes tous d'accord ? Est-ce qu'il y en a qui ne sont pas d'accord ?

UNE VOIX : Oui.

UNE AUTRE VOIX : Non.

🅕 : Qui pense qu'on ne peut pas avoir plusieurs amis ?

NORA : Je n'aime pas quand j'ai trop d'amis et quand mon amie elle a d'autres amis.

🅕 : Tu es jalouse quand ton amie joue avec d'autres amis ?

NORA : Oui.

🅕 : Mais est-ce que tu penses qu'on peut avoir plusieurs amis ?

NORA : Moi je ne peux pas.

🅕 : Alors, qui n'est pas d'accord avec ça ? Qui pense qu'il vaut mieux avoir plusieurs amis ?

CAPUCINE : C'est mieux d'avoir plusieurs amis, parce que t'as plus de chances d'avoir plus de bonheur.

MAYSSAE : Je dis que d'avoir plusieurs amis c'est bien, parce que s'il y en a un qui part en voyage, on peut compter sur les autres pour pouvoir jouer avec eux.

BASTIEN : Je suis pas d'accord avec Nora : c'est bien d'avoir plusieurs amis parce que comme ça, avec nos amis on peut faire encore de nouveaux amis.

🅕 : Alors Nora, tu as entendu tout ce qu'ils ont dit. Est-ce qu'ils t'ont convaincue qu'il vaut mieux avoir plusieurs amis ou tu penses toujours qu'il vaut mieux avoir un seul ami ?

NORA : Je pense qu'il vaut mieux avoir une seule amie.

🅕 : Il y a un philosophe qui a vécu il y a 2 500 ans à Athènes, en Grèce, qui s'appelle Aristote, qui a écrit un beau livre où il parle de l'amitié, et il dit qu'un ami c'est quelqu'un qu'on choisit, qu'on préfère aux autres, et qu'on a envie de voir le plus souvent possible pour faire des choses avec lui. Est-ce que vous êtes d'accord ?

« Oui ! » général.

L'être humain est-il un animal comme un autre ?

Rien de mieux pour réfléchir à l'être humain que de le comparer aux animaux ! Le questionnement philosophique consiste à pouvoir nous interroger sur nous-mêmes au-delà des évidences et des a priori. La comparaison entre notre espèce et les autres espèces animales favorise un décentrage propice à la réflexion.

J'ai donc mené deux ateliers sur la question de la différence entre l'homme et l'animal. On lira la retranscription presque intégrale de celui mené à Mouans-Sartoux (commune des Alpes-Maritimes), dans une classe de CM1-CM2 (enfants de 8-11 ans) de l'école publique François-Jacob.

FRÉDÉRIC : Est-ce que pour vous, il y a une différence entre l'homme et l'animal ?

TESS : Moi, je trouve qu'il n'y a aucune différence, parce que notre espèce est à la fois la plus intelligente et la plus bête, en fait.

Rires.

🅟 : Peux-tu préciser ta pensée ?

TESS : C'est juste que nous sommes plus développés : nous marchons debout, nous avons beaucoup de choses par rapport aux bêtes. Mais après, je trouve qu'il n'y a pas de vraie différence.

ÉLODIE : Je suis d'accord avec toi, Tess, c'est vrai. Il y a des gens qui sont bêtes, vraiment très bêtes. Après il y en a, comme les scientifiques, qui sont très intelligents, et c'est peut-être grâce à eux qu'on s'est développés. Les animaux sont peut-être moins développés que nous dans certains domaines, mais chaque animal a sa particularité. Par exemple l'âne, je crois qu'il a une vue qui peut aller très loin... le guépard, il peut sauter très haut...

SÉBASTIEN : Moi, je dis aussi que c'est pareil. Parce que l'homme préhistorique, c'était un peu un animal. En fait, on est tous des animaux...

JANA : Les hommes et les animaux c'est pareil, parce que chaque espèce a son langage, même si ce n'est pas le même.

MIA : Moi, je ne suis pas du même avis : l'homme et les animaux, c'est pas du tout pareil.

Ⓕ : Peux-tu argumenter ?

MIA : Parce que si quelqu'un, par exemple, a un enfant et un chien, si le chien fait beaucoup de bêtises, le maître peut le maltraiter, alors que l'enfant il ne peut pas.

Ⓕ : Tu veux dire qu'ils n'ont pas le même statut juridique ?

MIA : Voilà ! Les êtres humains ils sont plus protégés que les animaux, parce que justement ils sont différents.

ENZO : Je ne suis pas trop d'accord avec toi, Mia, parce que, en fait, c'est l'homme qui s'est fait une idée qu'il était supérieur à l'animal. C'est nous qui nous sommes dit qu'on était supérieurs aux animaux et qu'on devait avoir des droits que les animaux n'ont pas. Mais ça ne prouve pas que nous sommes supérieurs aux animaux !

ROBIN : Je suis d'accord avec Enzo. Fondamentalement, on est exactement pareil, parce qu'on est aussi des animaux. On est juste une race différente.

À la différence
des animaux,
l'être humain,
il n'est jamais satisfait.
Il veut toujours plus.

TESS (10 ans)

ⓕ : Une espèce différente.

ROBIN : Oui, une espèce particulière, qui domine les autres espèces.

TESS : Je reviens sur ce que disait Mia. Il y a quand même une différence entre l'homme et les animaux, je suis d'accord, mais c'est plutôt que l'homme il peut tuer pour le plaisir, alors que les animaux ils tuent pour manger ou se défendre.

MAËLLE : Moi je ne suis pas d'accord. Je pense que les animaux, ils sont pareils que nous. C'est juste que nous, on pense qu'on est plus intelligents qu'eux...

ⓕ : C'est ce que disait Enzo.

MAËLLE : On est frère et sœur.

ENZO : Jumeaux.

ⓕ : Donc vous pensez la même chose. C'est effectivement un argument !

Rires.

AURÉLIEN : Moi, je trouve que c'est presque pareil, mais il y a quand même des petites différences.

ⓕ : Lesquelles ?

AURÉLIEN : Si tu lâches par exemple un loup dans la nature et un humain, ils ne vont pas se débrouiller pareil. Le loup, il a plus un instinct de survie, il trouvera plus facilement à manger. Alors que l'être humain il s'est plus coupé de la nature. Il vit dans le luxe, mais il ne saurait plus survivre dans la nature.

BAPTISTE : Les hommes et les animaux c'est pas pareil, parce que les hommes ils ont inventé la voiture et pas les animaux !

Rires.

MARIN : Moi, je ne suis pas d'accord avec Baptiste, parce que, par exemple, si tu vas en Afrique tu vas voir des singes qui ont formé des poignards avec des pierres. Ils sont capables de créer des objets.

BAPTISTE : J'ai donné l'exemple d'une voiture ! Tu as vu des singes fabriquer des voitures ?

ÉLODIE : Je ne suis pas d'accord avec toi, Baptiste, parce que chaque espèce construit, par exemple, sa maison. Nous, on fabrique des maisons en bois ou en pierre, mais les fourmis elles ont une fourmilière et les oiseaux ils vont construire un nid. Et pour construire une fourmilière ou un nid, il faut un moment, ce n'est pas simple du tout. Chacun a sa façon de construire les choses et ça demande de l'intelligence.

CHARLIE : C'est vrai ! Une fourmilière, c'est très compliqué. Ils ont besoin de beaucoup de gens pour travailler. Ils fabriquent pas les mêmes choses que nous, mais ce n'est pas simple du tout ce qu'ils font.

ENZO : Moi je reviens à ce que Baptiste et Marin ont dit. En fait, les animaux, par exemple les singes, ils créent des outils. Ensuite, ils vont se faciliter la vie et créer d'autres outils et ça va faire une évolution comme pour nous. Un jour ils vont cuire la viande, évoluer, et dans longtemps, ils vont être aussi évolués que nous.

Ⓕ : Tu dis il n'y a pas une différence fondamentale de nature entre l'homme et l'animal, mais seulement une différence de temps et de niveau dans l'évolution de nos espèces respectives ?

ENZO : Voilà.

MIA : Moi, je suis totalement du même avis que Baptiste : un animal il ne peut pas forcément faire la même chose qu'un être humain. On n'est pas pareils, mais je ne sais pas comment l'expliquer.

MAËLLE : C'est vrai ce que dit Baptiste, parce que les animaux, ils n'ont pas l'intelligence comme nous.

Ⓕ : Ils n'ont pas la même intelligence que nous, ou ils n'ont pas d'intelligence du tout ?

MAËLLE : Eux, ils font les choses naturellement, alors que nous il faut toujours qu'on se demande à quoi ça sert. L'intelligence des hommes, c'est plutôt pour des choses qui ne sont pas nécessaires à leur survie, alors que l'intelligence des animaux, c'est plutôt pour leur survie.

Ⓟ : C'est très intéressant, j'aimerais savoir ce que les autres en pensent.

TESS : C'est vrai. Nous on réfléchit pour se faciliter la vie, mais aussi pour découvrir des choses. Et du coup, à chaque fois qu'il découvre quelque chose, l'homme veut aller plus loin, plus loin.

Ⓟ : Il n'est jamais satisfait?

TESS : Voilà, il n'est jamais satisfait. Il veut toujours plus.

ENZO : Moi, je pense en fait que les animaux c'est comme nous, il faut juste leur laisser le temps et certains animaux, comme les singes et les dauphins, vont développer le type d'intelligence et de curiosité qu'a l'être humain aujourd'hui.

ROBIN : Je suis d'accord avec Tess. Nous, contrairement aux animaux, on est dans une espèce de compétition infinie : être le plus riche, avoir les plus beaux trucs, être le meilleur. On est en compétition avec tout le monde, alors que ça ne sert à rien du tout. On crée plein de choses, comme les voitures, mais si elles n'étaient pas là, le monde se porterait mieux.

Nous, contrairement
aux animaux,
on est dans une espèce
de compétition infinie :
être le plus riche,
avoir les plus beaux trucs,
être le meilleur.
On est en compétition
avec tout le monde,
alors que ça ne sert
à rien du tout.

ROBIN (11 ans)

Faut-il répondre à la violence par la violence ?

De nombreux ateliers ont été menés autour du vivre-ensemble, du respect, de la justice, de l'autorité. Ces thématiques autorisent des débats sur les fondements de la morale et des règles de la vie sociale. Elles sont au cœur des nouveaux cours d'instruction morale et civique, qui visent à former des citoyens responsables, mais elles sont abordées ici dans la perspective d'un dialogue très libre ; certaines interventions peuvent sembler vaines ou maladroites, mais elles permettent à chaque enfant de s'exprimer et de confronter son opinion à celle des autres, ce qui est plus efficace qu'un cours didactique.

Suivent deux larges extraits d'ateliers sur ces thèmes. Le premier a été réalisé avec les CE1-CE2 (7-8 ans) de l'école publique du village de Brando, en Haute-Corse.

FRÉDÉRIC : La dernière fois on a parlé du bonheur de chacun. Aujourd'hui on va parler du vivre-ensemble. Qu'est-ce qu'il faut pour qu'on soit heureux ensemble ?

CAMILLE : Quand il y a des enfants qui sont seuls, on va jouer avec eux.

F : Oui, et ça s'appelle comment, quand on fait attention aux autres comme ça ?

LOU : La gentillesse.

F : Donc, pour être heureux ensemble, il faut de la gentillesse.

JULIEN : Être solidaire ?

F : Ça veut dire quoi être solidaire ?

JULIEN : Vivre avec les autres et s'occuper d'eux quand ils ont des problèmes.

CHIARA : C'est un peu pareil pour vivre en communauté. Par exemple, moi des fois ma voisine elle m'engueule parce qu'on fait trop de bruit dans les escaliers et qu'elle peut pas dormir. Donc j'arrête de faire du bruit parce qu'on la respecte, comme on respecte tous les autres voisins.

Ⓕ : Chiara a dit le mot respect. Qu'est-ce que c'est que le respect?

THÉO : Ça veut dire aider des personnes.

Ⓕ : Est-ce que vous êtes d'accord que respecter ça veut dire aider?

«Non» général.

Ⓕ : Alors, c'est autre chose. Aider, c'est bien, mais respecter c'est autre chose.

CHIARA : C'est comme j'ai dit tout à l'heure. Des fois, quand tu as une personne qui a mal à la tête, par exemple, et que les autres font du bruit, on doit s'arrêter pour la respecter.

UNE VOIX : En fait, moi quand j'ai mal à la tête, le bruit ça me fait du bien.

Rires.

Ⓕ : Ah bon?

LA MÊME VOIX : Après j'ai plus mal à la tête!

MATHIS : Le respect, c'est aussi ne pas frapper les autres.

JULIEN : Ne pas se moquer des gens. Dans les matchs de foot, des fois il y a des gens qui sont racistes et qui se moquent des Noirs. C'est un manque de respect.

Ⓕ : Tout à fait. Et pourquoi il faut respecter les autres ?

CAMILLE : Pour pas qu'il y ait de bagarres.

MATHIS : Pour qu'on ait des amis.

THOMAS : Pour pas que les autres soient tristes.

MATHIS : Si on est trop méchant alors que les autres ils nous respectent, après les parents ils vont aller le dire à l'école, et après l'école ils vont appeler la police et on va aller en prison.

Rires.

Ⓕ : Comment ça s'apprend, le respect ?

THOMAS : Il faut que je sois gentil avec la personne pour qu'elle me respecte.

ANTOINE : Oui, même s'ils ne nous respectent pas, il faut respecter les gens pour qu'ils aient envie de nous respecter. Vu que cela leur aura fait du bien quand on les respecte, ça leur donnera envie de nous respecter...

JULIEN : Je suis d'accord avec Antoine, mais si je vois qu'ils ne me respectent pas, je ne vais pas rester tout le temps, moi, à les respecter.

THÉO : Je suis d'accord avec Julien.

UNE VOIX : Moi aussi.

NATUREL : Moi aussi, je suis d'accord avec Julien, parce que quand on ne nous respecte pas, il ne faut pas respecter pour qu'ils voient ce que ça fait de ne pas être respecté.

ANTOINE : Je suis aussi un peu d'accord avec Julien. Je trouve qu'il a raison : si je continue à respecter alors qu'il me respecte pas, peut-être que j'arrêterai de le respecter. Mais s'il commence à me respecter un peu, alors il vaut mieux quand même continuer à le respecter.

Ⓟ : Donc si la personne change, on continue à respecter, si elle change pas, si elle continue à ne pas vous respecter, vous allez vous défendre, en fait. Mais comment ?

MATHIS : S'il continue, on va appeler la police.

ANTOINE : On n'est pas obligé d'appeler la police. On peut lui parler, aussi.

MATHIS : Quand quelqu'un nous embête, il ne faut pas le frapper, parce que après c'est nous qui irons en prison.

UNE VOIX : Il faut quand même un peu se défendre.

Ⓟ : Oui, mais est-ce qu'il faut répondre à la violence par la violence ?

ANTOINE : Il ne faut pas répondre à la violence par la violence, parce que après ça peut provoquer des bagarres. Il faut appeler des adultes ou la police.

F : En fait, quand les gens ne sont pas respectueux, on peut effectivement leur parler, mais certaines fois, si c'est grave, c'est nécessaire d'appeler la police pour faire appliquer la loi. C'est quoi la loi ?

ANTOINE : La loi c'est : par exemple les terroristes, ils ne respectent pas la loi, ils tuent les gens pour rien. Et ça, c'est pas la loi. On n'a pas le droit de le faire.

F : Alors la loi, c'est de ne pas tuer ?

JULIEN : La loi, ça empêche la violence.

F : Oui, et qui crée la loi ?

UNE VOIX : Le Président.

F : Non, c'est pas le Président.

JULIEN : Le maire du village ?

F : Non plus !

ANTOINE 2 : C'est la police.

F : Non, la police, elle, fait respecter la loi. Mais qui est-ce qui crée la loi ?

ANTOINE : La République !

Personne au monde
ne peut tout connaître
et on peut se tromper
si on veut se faire
justice soi-même.

NINON (8 ans)

L'atelier suivant a été réalisé avec des enfants de CE1-CE2 (7-9 ans) de l'école publique Victor-Duruy de Fontenay-sous-Bois (Val-de-Marne).

Ⓕ : Est-ce que vous pensez qu'on peut se faire justice soi-même ?

LOUIS : Non.

Ⓕ : Pour quelle raison ?

LOUIS : On ne peut pas se faire justice soi-même parce qu'on ne connaît pas tout sur la justice et on peut être injuste, des fois.

GABIN : Moi je pense que oui.

Ⓕ : Pour quelle raison ?

GABIN : Je ne sais pas.

Ⓕ : Réfléchis à une raison : lorsqu'on essaye de philosopher, on donne toujours une raison, ce n'est pas simplement un ressenti. Il faut essayer de trouver un argument. Et puis après vous allez confronter vos arguments. Pourquoi est-ce que tu penses qu'on peut se faire justice soi-même ?

GABIN : …

RONAN : Moi, je pense que oui, parce que parfois on sait ce qui ne va pas et on peut l'améliorer nous-mêmes.

F : D'accord.

MATHIS : Moi, je pense que non, parce qu'on n'a pas toujours raison.

F : Donc tu dis comme Louis, qu'on ne connaît pas toutes les choses, et donc on peut se tromper.

MATHIS : Oui.

NINON : Moi je pense comme Louis et Mathis, personne au monde ne peut avoir raison tout le temps. Personne au monde ne peut tout connaître, et on peut se tromper si on veut se faire justice soi-même.

F : Je vais poser la question un peu autrement : est-ce qu'il vous paraît légitime de répondre à la violence par la violence ?

NISAR : Non. D'abord parce que ce n'est pas bien de frapper, et ensuite il vaut mieux parler que de continuer avec la violence.

F : D'accord. Qui n'a pas parlé encore ?

LOLA : Moi, je pense que non, parce que si on a un problème il vaut mieux en parler à un adulte, parce que nous, souvent, on ne sait que répondre par la violence et ça n'arrange rien.

F : Donc, ça aggraverait le problème si on répond à la violence par la violence ?

LOUIS : Mieux vaut parler au lieu de frapper, parce que quand on frappe on devient de plus en plus bête, alors que quand on parle, ça nous aide à réfléchir.

THIBAULT : Ce n'est pas bien de frapper, parce que après ça peut déclencher des guerres.

RONAN : C'est vrai. Tu vas commencer par donner un coup de poing, mais après tu vas finir avec les armes. C'est une mauvaise idée.

CHARLOTTE : Non, parce que c'est idiot.

🅕 : Pourquoi c'est idiot ?

CHARLOTTE : Parce que si on tape, l'autre il va te frapper aussi.

GASPARD : Moi je pense aussi que non, parce que si on frappe, ensuite on va encore frapper, et on va finir en prison.

SIDONIE : Ça change rien si on frappe, alors que parler ça change.

🅕 : Qu'est-ce qui change si on parle ?

SIDONIE : On peut faire la paix.

NINON : Oui, mais parfois, quand on parle ça peut faire plus mal que quand on frappe. Alors il ne faut pas parler méchamment, il ne faut pas insulter.

🅕 : Vous dites tous à peu près la même chose : il ne faut pas répondre à la violence par la violence, ça ne sert à rien, ça entraîne des conflits, des guerres, des problèmes. Donc, il vaut mieux discuter. Et tu as dit, Ninon, qu'il faut essayer de le faire avec des mots qui évitent de blesser et d'entraîner à nouveau de la violence. Maintenant, si ça ne marche pas, c'est-à-dire si l'autre personne reste violente, ou agressive, qu'est-ce qu'on peut faire ?

ANTON : Si ça ne marche toujours pas, on peut frapper.

CLARA : Non, mieux vaut en parler à des grandes personnes.

LOLA : C'est mieux de le dire à des grandes personnes, du coup, ça va régler le problème.

GABIN : Moi, c'est un peu pareil que Lola et Clara, je pense qu'il faut plutôt le dire à des grandes personnes que de frapper.

NINON : Il faut en parler à un adulte si on a un problème avec un autre enfant, mais quand on a un problème avec un adulte, il faut plutôt aller voir la police.

⑤ : Elle est là pour quoi, la police ?

NINON : Pour qu'on ne soit pas en danger. S'il y a quelqu'un qui nous frappe, qui nous menace, qui nous rackette, qui nous fait des choses qu'il ne devrait pas faire, il faut en parler à ses parents, et autrement en parler à la police.

NOÉ : Moi, je trouve que c'est mieux d'appeler la police, parce qu'il n'y a que des problèmes en France et on ne peut pas les régler autrement.

LOUIS : Moi, je suis plutôt d'accord avec Anton, parce si tu te retrouves dans une impasse avec des gens qui te frappent, il faut te défendre. Tu appelleras la police après pour leur courir après… Mais d'abord tu n'as pas le choix : il faut te défendre.

Ⓕ : Donc toi, Louis, tu dis que ça dépend des circonstances.

ANTON : Alors si on va toujours trouver une personne pour nous aider, ça sert à quoi de faire du judo ?

Ⓕ : S'il n'y a aucune solution, il faut se défendre.

THIBAULT : Je pense que oui, parce que quand on est dans une impasse avec les autres qui ont un revolver, tu peux te défendre avec le judo.

Ⓕ : Tu ne feras pas grand-chose avec du judo face un revolver, mais bon… Pourquoi pas ?!

Rires.

LOLA : Tu t'enfuis, et puis voilà.

Ⓕ : Oui, la meilleure solution, si on peut, c'est la fuite ! Bon, vous êtes assez d'accord pour ne pas répondre à la violence par la violence. Vous avez parlé de la police qui est là pour faire respecter les règles. Je vais vous poser une autre question, qui rejoint un peu tout ça, d'une autre manière : est-ce que l'autorité vous apparaît nécessaire ?

NINON : Oui, parce que sans autorité il y aurait des guerres partout, il y aurait des conflits, il y aurait des morts, y aurait vingt-six morts par jour dans cette école...

Rires.

Ⓕ : Ça va, Ninon, tu es optimiste!

Rires.

Ⓕ : L'autorité c'est quoi?

NINON : L'autorité c'est pour respecter les règles : tu tues personne, tu rackettes pas, tu voles pas...

Ⓕ : Ça s'appelle comment, tout ça?

NINON : La loi?

Ⓕ : La loi, voilà. Continuez.

LOUIS : Moi, je suis en partie d'accord avec Ninon, mais pas complètement, parce que le vol, la violence, le racket, tu ne pourras jamais les arrêter...

NINON : Oui mais c'est mieux de les arrêter à moitié, plutôt que de continuer...

LOUIS : Mais tu ne pourras jamais l'arrêter entièrement.

Même s'ils ne nous
respectent pas,
il faut respecter les gens
pour qu'ils aient envie
de nous respecter.
Vu que cela leur aura fait
du bien quand on les aura respectés,
ça leur donnera envie de nous
respecter...

ANTOINE (7 ans)

Ⓕ : Est-ce que tu veux dire que la loi ne sert à rien ?

LOUIS : Non.

Ⓕ : Ce que tu veux dire alors, c'est que la loi c'est nécessaire, mais que ce n'est pas suffisant ?

LOUIS : Oui.

Ⓕ : Qu'est-ce qu'il faudrait en plus de la loi pour améliorer le monde ?

LOUIS : On ne pourra jamais.

Ⓕ : Tu penses qu'il y a aucune autre solution ?

LOUIS : Non.

Ⓕ : Vous êtes d'accord avec Louis ?

CLARA : Il faudrait que tout le monde s'explique au lieu de se tuer.

GABIN : Il faudrait que tout le monde soit heureux et comme ça il n'y aurait plus de conflits et de violence.

Ⓕ : Ah, ça c'est très intéressant ce que tu dis, Gabin. Qu'est-ce que vous en pensez ?

LOLA : Moi, je ne suis pas vraiment d'accord parce qu'on ne peut pas rendre toutes les personnes heureuses ! C'est beau, mais c'est impossible que tout le monde soit heureux et qu'il n'y ait plus de guerres.

Ⓕ : Il y a un grand philosophe, qui a vécu au XVIIᵉ siècle, qui s'appelait Spinoza et qui disait à peu près la même chose que Gabin. Il disait que si toutes les personnes faisaient un effort pour vaincre leurs émotions et leurs passions tristes – leurs peurs, leurs colères, leurs envies, leurs jalousies, etc. –, elles seraient dans la joie et il n'y aurait plus de conflits.

LOUIS : Je ne suis pas très d'accord, parce que si un voleur est heureux de tuer, de voler, etc., ça ne réglera rien !

THIBAULT : En plus, si on donne tout aux gens pour être heureux, il y en aura quand même qui ne seront pas heureux.

CLARA : Je suis d'accord, c'est presque impossible que tout le monde soit heureux, parce qu'on ne peut pas avoir tout ce qu'on veut. Et je suis d'accord avec Louis : si le voleur ce qui le rend heureux c'est de voler ou le terroriste de tuer, alors on ne réglera jamais le problème.

🅕 : Gabin, tu veux répondre ?

GABIN : Oui, mais il y a des conflits aussi parce qu'il y a des gens qui sont très pauvres et y a des gens qui sont très riches. Si on partageait mieux, alors il y aurait moins de violence.

MATIS : Je suis d'accord avec toi, Gabin, parce que si les riches aidaient davantage les pauvres, alors les pauvres ils seraient plus heureux et il y aurait moins de violence.

NOÉ : Moi je pense qu'il en faut peu pour être heureux. Donc le problème c'est pas d'abord l'argent.

Ⓕ : Au fond, Gabin a lancé deux idées : c'est que si les gens étaient plus heureux, il y aurait peut-être moins de conflits, et si on partageait plus, il y aurait peut-être moins de conflits. Je voudrais aller vers une autre idée, mais qui va dans ce sens-là : est-ce que vous pensez que l'on pourrait améliorer le monde en passant par l'éducation ?

GASPARD : Il y a parfois des terroristes, ils ne sont pas allés à l'école. Peut-être que s'ils avaient été à l'école ils ne seraient pas devenus terroristes.

NINON : Oui, je trouve que l'éducation ça peut aider. Mais je pense aussi qu'il ne faut pas forcément avoir de l'argent pour être heureux, il faut juste faire un beau sourire et si tu souris à tout le monde ça peut suffire pour que tout le monde sourie…

CLARA : En fait, je suis assez d'accord avec Ninon : ça serait bien qu'on fasse plus de choses pour qu'il y ait quelques gens qui soient plus heureux autour de nous.

ANTON : Finalement je suis un peu d'accord avec Gabin, parce que moi j'aime bien la vie, et quand on est heureux on n'a pas envie de faire du mal aux autres. Les terroristes ils aiment tuer, mais au fond c'est peut-être parce qu'ils n'aiment pas la vie et qu'ils ne sont pas heureux.

ⓕ : C'est exactement ce que disait Spinoza… et Gabin!

Rires.

ⓕ : Pour finir, je voudrais vous dire une phrase de Gandhi… Vous voyez qui est Gandhi?

«Non» général.

ⓕ : Gandhi c'est un sage et un homme politique qui a vécu au xxe siècle et qui a permis à l'Inde de devenir indépendante. Gandhi, c'est un grand pacifiste qui a prôné la non-violence. Et il disait cette phrase : «Soyez le changement que vous voulez dans le monde.» Qu'est-ce que vous en pensez?

NINON : C'est vrai, parce que par exemple si y a quelqu'un qui dit : «Tais-toi» et qui parle après, il demande à l'autre de changer, mais lui il ne le fait. Donc ça ne peut pas marcher.

GABIN : Je suis d'accord avec Gandhi, parce par exemple si quelqu'un est malheureux parce qu'il n'aime pas son travail, eh bien s'il change sa vie, il sera plus heureux. C'est mieux de se changer soi-même avant de juger les autres.

Moi, j'aime bien la vie,
et quand on est heureux,
on n'a pas envie de faire
du mal aux autres.
Les terroristes,
ils aiment tuer,
mais au fond c'est peut-être
parce qu'ils n'aiment pas la vie
et qu'ils ne sont pas heureux.

ANTON (7 ans)

CHARLOTTE : Moi je suis d'accord avec Gandhi, parce que si tout le monde change, tout le monde sera heureux et il n'y aura plus de conflits, il n'y aura plus de guerres.

ANTON : Ce n'est pas si simple. Si tu veux changer le monde et si tu veux que les terroristes n'existent plus... comment faire?

☺ : La solution, pour Gandhi, c'est ce qu'on disait tout à l'heure à propos de la loi. Gandhi est d'accord avec cette idée : la loi est nécessaire, mais ne suffit pas, il faut aussi que les individus changent. Est-ce que vous êtes d'accord avec cette idée que si des individus se transforment et changent, le monde changera?

ANTON : Oui, mais comment?

☺ : On parlait de l'éducation tout à l'heure : ça ne serait pas une solution?

MAYA : Je pense que si tu fais des enfants et que tu les éduques bien, après quand ils sont grands, ils ne feront pas n'importe quoi. Peut-être que les gens qui tuent les autres ils n'ont pas toujours été bien éduqués?

NINON : Moi je suis plutôt d'accord avec toi, Anton, parce les meurtriers et les voleurs ils s'en fichent complètement de la loi. Gandhi leur dit de changer, mais ils ne le feront pas...

Ⓕ : Oui, mais ce que disait Maya, c'est que le changement aurait pu se faire quand ils sont enfants par l'éducation.

NINON : Je suis d'accord. C'est vrai que si les parents ne les ont pas bien éduqués, qu'ils les ont laissés se débrouiller, du coup ça a mal fini.

RONAN : C'est sûr que s'ils avaient appris comme nous à faire de la méditation, peut-être qu'après ils ne seraient pas devenus agressifs. Je pense que la méditation ça aide à être calme et à essayer de pardonner. Et si tu pardonnes, tu n'as plus envie de te venger et il va y avoir beaucoup moins de violence après.

GASPARD : Je suis d'accord avec Ronan : si tout le monde faisait de la méditation, le monde irait beaucoup mieux.

Quelle est la différence entre croire et savoir ?

Il m'a semblé nécessaire de questionner croyance et religion. Les enfants sont actuellement très marqués, comme nous tous, par le fanatisme religieux exprimé par le terrorisme islamiste. Ils abordent toujours spontanément le sujet dès qu'il est question de religion. Mais il m'a paru utile d'élargir la réflexion à une thématique moins passionnée et capitale : la distinction entre croire et savoir, entre croyance et connaissance.

Cet atelier, mené dans une classe de CE1-CE2 (7-9 ans) de l'école La Découverte à Genève, est d'autant plus instructif que les enfants viennent d'horizons religieux divers (sans religion, catholicisme, protestantisme, islam, judaïsme et bouddhisme).

FRÉDÉRIC : Qu'est-ce qu'une religion ?

JUSTIN : Une religion, c'est quand une personne croit que Dieu a créé le monde. Et des fois, la religion ça cause des bagarres.

KELAN : Oui, des fois les religions elles se bagarrent, parce qu'elles n'ont pas les mêmes idées, et après il y a la guerre.

ALISSA : Une religion, c'est une tradition. Les gens croient qu'il y a Dieu, et ensuite il y a plusieurs religions qui sont pas d'accord entres elles : les juifs, Jésus, etc.

TALIA : Une religion, je pense que ce sont des personnes qui ont une croyance et qui changent leur vie quotidienne.

ⓕ : Tu veux dire que leurs croyances influent sur leur vie quotidienne ?

TALIA : Oui. Et puis, au fur et à mesure, ils inventent peut-être des histoires, beaucoup de choses.

ISAK : Les gens, comme ils n'ont pas la même religion, après ils ne sont pas gentils avec les autres.

JUSTIN R : En fait, les religions, ça ne cause pas toujours la guerre. Il y a aussi des lois dans les religions qui disent de ne pas faire la guerre et d'être gentil avec les autres personnes.

⑤ : Donc, ce que tu dis, c'est que des fois la religion ça crée de la guerre et que des fois ça crée de la paix?

JUSTIN R : Non, ça ne cause pas la paix, mais dans toutes les religions il y a de la paix.

⑤ : Il y a des messages de paix. Vous êtes d'accord avec ça?

«Oui» général.

⑤ : Quels sont les messages de paix des religions?

UNE VOIX : Tu peux créer de la paix quand tu fais des prières.

TALIA : Je pense que dans les religions il y a toujours des règles et des croyances qui apportent un petit peu de paix. Par exemple en Thaïlande, il y a des bouddhas, un peu partout dans les rues, dans les restaurants, et les gens font leurs prières et cela crée de la paix.

JUSTIN R : En fait, il y en a beaucoup, des messages de paix dans les religions, mais aussi des messages qui causent la mort.

⑤ : Donne-moi un exemple de message de paix.

JUSTIN R : Tu dois adorer les personnes que tu détestes.

⑤ : «Adorer» : tu es sûr que c'est le bon mot?

JUSTIN R : Aimer.

⑤ : Il est écrit où, ce message?

JUSTIN R : Je ne sais pas... dans la Bible.

Dire que c'est Dieu
qui a créé le monde,
c'est une croyance,
mais eux ils pensent
que c'est un savoir.

TALIA (8 ans)

F : Oui, dans la Bible. Le message c'est : «Aimez vos ennemis et ceux qui vous font du mal.» C'est Jésus qui le dit dans les Évangiles. Est-ce que quelqu'un connaît un autre message de paix?

JUSTIN : Je suis adventiste du septième jour. C'est une religion chrétienne, où on fait du septième jour le jour de la sainteté. Ça commence la soirée du vendredi jusqu'à la soirée du samedi. Dans l'église, il y a beaucoup d'enfants en train de faire des prières pour remercier Dieu.

ALISSA : Moi, je suis musulmane, et en Bosnie il y a une pierre où c'est écrit un message pour la paix.

F : Tu te souviens lequel?

ALISSA : Pas trop. Ce sont plutôt mes parents qui sont musulmans. Moi, j'apprends un peu les choses.

ISAK : Moi, je n'ai pas trop de religion, mais ma grand-mère et mon grand-père ils sont religieux, et chaque soir avant qu'on mange, ils remercient Dieu qu'on ait quelque chose à manger.

TALIA : Moi, ma mère elle est un peu bouddhiste et elle fait de la méditation.

F : Vous avez dit plusieurs choses qui sont positives dans les religions : les prières, les messages d'amour. Alors, maintenant, dites-moi pourquoi les religions peuvent créer de la violence.

ISAK : La violence, c'est quand les gens sont dans deux religions différentes.

Ⓟ : Oui, et pourquoi ça crée parfois de la violence ?

ISAK : Parce qu'ils veulent que tout le monde ait la même religion.

SASHA : Ça crée de la violence, parce que les religions ne sont pas d'accord avec les autres religions.

ALISSA : Des fois, il y a une religion qui pense que sa religion est la meilleure. Et l'autre religion pense que c'est elle qui est la meilleure et que les autres ont tort.

NICOLE : Je suis d'accord. Ce qui crée la guerre entre les religions, c'est quand il y a des croyants d'une religion qui croient qu'ils sont meilleurs que les autres, et que tout le monde devrait croire à leur religion.

TALIA : Les querelles à propos de la religion, ça peut arriver tout le temps. Si deux personnes de différentes religions travaillent ensemble et qu'elles parlent de religion, elles peuvent se fâcher.

Ⓟ : Je voudrais entendre, pour terminer sur ce sujet-là, ceux qui pensent que les religions créent davantage de paix que de conflit, et ceux qui pensent, à l'inverse, que les religions créent davantage de conflit que de paix.

JUSTIN : Ça dépend des religions.

ALISSA : Ça dépend aussi de l'époque.

JUSTIN : C'est vrai, parce qu'il y a des religions qui maintenant font la guerre, alors qu'avant elles ne faisaient pas la guerre, et il y a des religions qui faisaient la guerre avant, et qui maintenant font la paix.

CLARA : C'est un peu les deux. Les religions, elles font parfois la guerre et parfois la paix.

🅟 : Tout à l'heure, l'un de vous a dit que la religion repose sur une croyance. C'est quoi une croyance ?

LAURA : Une croyance, par exemple, c'est un catholique qui croit en Dieu.

SASHA : Une croyance, ça peut être de croire que le vendredi 13, ça porte malheur.

BLANCHE : Les croyances, ça peut être quelque chose que tout le monde croit dans un pays. Mais les gens des autres pays ils n'ont pas les mêmes croyances.

KELAN : Il y a des personnes qui croient que c'est Dieu qui a créé le monde et il y a d'autres personnes qui croient que c'est le big-bang qui est à l'origine du monde.

🅟 : Est-ce qu'on peut mettre au même niveau les deux choses ? Est-ce que les religions et la science, c'est pareil ? Quelle est la différence entre croire et savoir ?

SASHA : Si tu crois quelque chose, tu n'es pas vraiment sûr que ça peut exister. Et si tu sais, tu es vraiment sûr.

ALEXANDRE : Je sais que j'ai des pieds, mais je crois aux extraterrestres, par exemple.

ALYSSA : Oui, savoir c'est ce que tu as vu et qui existe avec certitude. Et croire, ça peut exister, mais peut-être que tu n'as pas vu.

KELAN : Je sais qu'il y a des arbres, c'est sûr. Et je crois qu'un arbre existe avec des fleurs, mais je ne suis pas sûr.

Ⓟ : La science, qui relève du domaine du savoir, repose sur quoi?

SASHA : Sur l'expérience.

ALICE : Des expériences. Tu testes.

ISAAC : L'intelligence.

CLARA : La pensée.

Ⓟ : Donc, un savoir scientifique c'est une chose sur laquelle tout le monde peut se mettre d'accord parce que c'est une connaissance vérifiée par l'expérience. Vous êtes tous d'accord avec ça?

VOIX : Oui.

TALIA : Mais il y a des savoirs scientifiques auxquels tout le monde ne croit pas.

Ⓟ : Tu veux dire qu'il y a des désaccords?

Je ne suis pas sûre
que Dieu existe,
mais je ne peux pas affirmer
non plus qu'il n'existe pas.
Je pense qu'on aura
des preuves au moins
dans cent ans.

ELLA (9 ans)

TALIA : Oui, même sur les savoirs scientifiques.

F : Donne-moi un exemple.

TALIA : Par exemple il y a des personnes qui croient que le big-bang a existé et d'autres qui disent que c'est Dieu qui a créé l'univers.

F : Mais est-ce que ceux qui pensent que Dieu a créé l'univers, c'est un savoir scientifique ?

TALIA : Non, mais ils pensent que les scientifiques se trompent.

F : Et dire que c'est Dieu qui a créé le monde, c'est un savoir ou c'est une croyance ?

TALIA : C'est une croyance, mais eux ils pensent que c'est un savoir.

Vaut-il mieux être mortel ou immortel ?

J'ai effectué deux ateliers sur la mort, où plusieurs thématiques ont été discutées, notamment celle des croyances sur l'après-mort. La plus fructueuse, d'un point de vue philosophique, c'est lorsque les enfants ont cherché à répondre à la question : vaudrait-il mieux être immortel plutôt que mortel ? Je dois avouer que j'ai été surpris du nombre d'enfants qui plaident en faveur de la mortalité et de leur étonnante sérénité pour discuter de leur propre mort, sujet souvent considéré difficile à affronter dans l'enfance. Voilà qui donnera à méditer aux adultes qui ont du mal à aborder cette question et qui aspirent à se vouloir immortels !

Je présente d'abord les extraits de l'atelier animé dans une classe de CM1-CM2 à l'école publique de L'Orée du Bois, à Mouans-Sartoux.

FRÉDÉRIC : Est-ce qu'il vaudrait mieux être immortel, plutôt que mortel ?

DES VOIX : Oui.

D'AUTRES VOIX : Non.

🅕 : Il y en a qui disent oui, il y en a qui disent non. Vous allez exposer vos arguments.

LÉA : Moi, je dirais qu'il vaut mieux être mortel, parce que si on était immortel, on ne pourrait pas être enfant, ado, adulte et vieux, et ce serait dommage !

PÉNÉLOPE : Il vaut mieux être mortel, parce que si personne ne mourait jamais et qu'il y ait toujours des naissances, on serait bien trop nombreux sur la Terre.

ANTOINE : Je dirais aussi qu'il vaut mieux mourir, parce que si on était immortel on aurait tout vu sur Terre et on ne saurait plus quoi faire après !

ÉLINE : Si on était immortel, le monde n'évoluerait pas, parce qu'il y aurait toujours les mêmes personnes qui ne changeraient pas elles-mêmes et les choses n'évolueraient pas.

PAUL : Moi je suis partagé. C'est bien d'être immortel pour qu'on ne soit jamais séparé des gens qu'on aime, comme notre famille. Mais aussi je suis d'accord avec Léa que c'est bien de grandir et d'évoluer, de l'enfance à la vieillesse.

CHIARA : Je pense que c'est mieux de mourir, mais à un âge tardif... Parce que je connaissais une petite fille qui est morte à 5 ans, et c'est triste de mourir si jeune.

MÉLINA : Je pense qu'il ne faut pas être immortel, parce que si tu nais avec une maladie grave et que tu peux pas mourir, tu vas toujours en souffrir...

PAUL : C'est vrai, et par exemple, si on a des parents qui se disputent, s'ils sont immortels, ils vont toujours se disputer!

Rires.

EVA : Si on est immortel, on ne peut pas décider de mourir si on veut. Alors les gens malheureux resteront toujours malheureux.

🅕 : Pour l'instant, à part Paul qui a évoqué la perte de nos proches, je n'ai entendu que des arguments en faveur de la mortalité. Vous étiez plus nombreux en début de séance à sembler favorables à l'immortalité. Est-ce que tout ce que vous avez entendu vous a fait changer d'avis? Ou bien y a d'autres arguments en faveur de l'immortalité?

EVA : L'immortalité, l'avantage c'est que tu n'as plus peur de mourir, de tomber malade ou d'avoir des accidents. Du coup, t'as plus de peurs...

Comme
on n'est pas immortel,
on profite plus
des choses de la vie.

MADELEINE (9 ans)

Répondent à la même question des enfants d'une classe de CM1 de Paris (école privée Fénelon dans le 8ᵉ arrondissement). Malgré quelques idées différentes, j'ai été frappé de la similarité de la plupart des arguments avancés, alors que les enfants sont issus de milieux sociaux différents.

COLOMBE : Ça serait mieux d'être immortel, parce que comme ça on pourrait faire plus de choses, on pourrait avoir nos proches tout le temps avec nous.

VICTORIA : Si on était immortel, il y aurait toujours des hommes préhistoriques qui seraient vivants, donc on pourrait savoir ce qui s'est passé avant nous.

CAMILLE : Je ne suis pas d'accord avec toi. Au contraire, c'est mieux d'être mortel, parce que si on était immortel on n'aurait jamais évolué, on serait encore comme les hommes préhistoriques.

MADELEINE : C'est mieux de ne pas être immortel, parce qu'on profite plus des choses si on sait qu'on est mortel. Par exemple, moi, j'aimerais aller en Amérique. Si j'étais immortelle, je me dirais : j'irai dans cent ans, de toute manière je serai encore vivante… Mais comme on n'est pas immortel, on profite plus des choses de la vie.

P : On vit plus intensément?

MADELEINE : Oui.

VIOLETTE : On peut toujours recommencer à souffrir sans jamais mourir, donc du coup, toute notre vie on peut souffrir. Et moi je n'aime pas ça!

ALICE : Si on était immortel, on pourrait s'ennuyer. Alors que là… on profite plus…

ELLIOT : Moi je pense qu'il vaut mieux être mortel, parce que si on continue à faire des enfants, il n'y aurait plus de place sur la Terre…

VICTORIA : Ce qui serait bien c'est qu'on soit immortel, mais qu'il y ait toujours la paix!

CASTILLE : Moi je suis d'accord avec Alice et avec Jeanne. Quand on aura tout fait, au bout d'un moment, on en aura marre. Et en plus si on fait tout le temps n'importe quoi, parce qu'on n'a pas peur de mourir, ça sera la pagaille dans le monde entier. Et puis je trouve que dans une histoire c'est bien qu'il y ait un début et une fin. Parce que quand on naît, on est content de vivre et on vit plein d'aventures et il arrive un moment où on s'épuise. Alors c'est bien que ça finisse.

JEAN : Moi, je trouve aussi que c'est bien d'être mortel, parce que sinon il y aurait toujours les dinosaures…

UNE VOIX : Du coup, ça serait bien d'être immortel, parce qu'on pourrait chevaucher des dinosaures.

Rires.

🅕 : Oui, à condition que tu arrives à dompter les dinosaures.

Rires.

VICTORIA : Ça serait bien d'être immortel, parce qu'on pourrait faire ce qu'on veut.

VIOLETTE : Je ne comprends pas pourquoi tu dis ça, Victoria.

VICTORIA : On pourrait faire ce qu'on veut : manger, dormir, lire, voyager…

VIOLETTE : Mais c'est ce qu'on fait déjà.

VICTORIA : Oui, mais au bout d'un moment on n'aura plus besoin d'aller à l'école, et du coup on pourra faire tout ce qu'on aime.

CÉLESTE : Oui, mais si on n'a pas une bonne vie, on n'a pas de maison, on est malheureux et on ne peut pas mourir, c'est pas bien.

LUCILLE : Souvent on se dit que ça serait bien d'être immortel. Mais en fait, au bout d'un moment ça serait lassant. Et surtout, imaginons que quelqu'un découvre comment être immortel, en fait ça casserait l'œuvre que Dieu a créée, parce que après ça serait

Il vaut mieux mourir,
parce que si on était immortel,
on aurait tout vu sur Terre
et on ne saurait plus
quoi faire après.

ANTOINE (11 ans)

Paris

Avant, je ne m'étais jamais
posé les questions
qu'on a étudiées ici,
je suis contente d'avoir réfléchi
à tout ça.
VIOLETTE (9 ans)

L'amour,
c'est une émotion
ou un sentiment ?
ÉDOUARD (9 ans)

C'est un sentiment, parce que ça peut durer infiniment.
FARAH (9 ans)

Heureusement
qu'on est mortel,
parce qu'il y aurait
toujours Napoléon,
et si ça se trouve
il y aurait encore
la guerre en Europe !
JEANNE (9 ans)

La joie,
c'est quelque chose
qu'on ressent et
qu'on a au fond de soi,
alors que le bonheur,
c'est quelque chose
de global,
qui vient des choses
bien qui nous arrivent.
ARTHUR (10 ans)

Mouans-Sartoux

La méditation, c'est quand on est énervé, on fait le vide pour remettre le compteur des émotions à zéro. **ROBIN** (11 ans)

Il n'y a aucune différence entre l'homme et l'animal,
parce que notre espèce est à la fois la plus intelligente
et la plus bête. **TESS** (9 ans)

C'est nous qui nous sommes dit qu'on était supérieur aux animaux et qu'on devait avoir des droits que les animaux n'ont pas.

Mais ça ne prouve pas que nous sommes supérieurs.
ENZO (10 ans)

Genève

Je ne veux rien savoir
de ce qui va arriver
dans ma vie.
Je suis juste heureux
d'être sur Terre.
ACHRAF (8 ans)

Je pense quand même qu'on n'est pas si libre que ça
et que c'est aussi le destin qui décide un peu. **VESNA** (10 ans)

On ne fait plus rien pour essayer de changer les choses ou aider
les gens si on croit au destin et que tout est programmé. **ELLA** (9 ans)

Brando

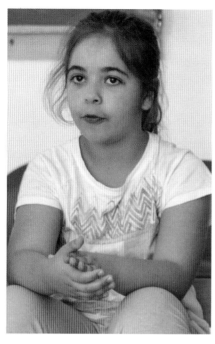

Si un autre m'embête
ou me frappe, moi,
je ne vais pas le frapper.
Je lui dis :
« Je m'excuse,
est-ce que tu voudrais
qu'on soit amis au lieu
qu'on se dispute ? »
JULIE (9 ans)

À moins de mourir
pour voir si on va au ciel,
je ne pense pas
qu'on puisse avoir
des preuves
de l'existence de Dieu.
À part qu'on ne pourra
pas témoigner...
Donc pour les autres,
ça servirait à rien.
CHRISTOPHE (10 ans)

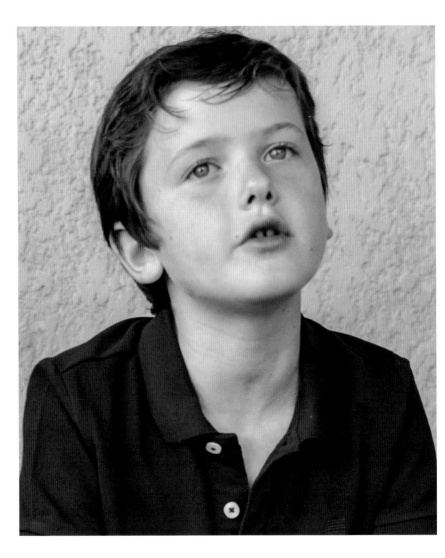

Quand j'étais petit, je râlais souvent, et maintenant,
quand je réfléchis, je comprends qu'il ne faut plus trop rouspéter,
car j'ai tout ce qu'il me faut, j'ai des parents, je ne suis pas
pauvre. Alors pour moi le bonheur, c'est juste d'être,
d'exister au monde. **JULIEN (7 ans)**

Des fois, plus on se connaît, plus on s'aime,
parce qu'on dépasse les choses extérieures pas importantes,
comme le physique et tout ça. GENNA (9 ans)

le fouillis. Du coup, ça ne serait pas vraiment bien.

HUGO : Bah non, parce qu'il y aura toujours des policiers...

ALICE : Moi je suis d'accord avec ce que disait Madeleine : si on sait qu'on va mourir, on profitera plus de la vie. On se dit qu'il faut profiter avant de mourir. Donc heureusement qu'on est mortel !

La vie a-t-elle un sens ?

J'ai réalisé trois ateliers sur cette question. Je vais restituer ici, en quasi-intégralité, celui réalisé à Genève à l'école La Découverte, avec des enfants de 9-11 ans. Le caractère mature des réponses des enfants ne tient pas seulement au milieu culturellement plutôt privilégié duquel ils sont issus, mais également au fait que la plupart d'entre eux pratiquent les ateliers philo chaque semaine avec leur maîtresse depuis plusieurs années. Le résultat, sur une question peu évidente, est fort encourageant. Malgré le langage encore un peu approximatif des enfants, on pourrait imaginer des élèves bien plus âgés !

FRÉDÉRIC : La vie a-t-elle un sens ?

ANEESH : Oui, la vie a un sens : on se dirige vers la mort.

Rires.

La vie, elle a un sens
parce qu'on a des amis,
une famille, des cousins,
des personnes avec qui partager.
Sinon, elle n'a pas de sens.
La vie, elle a un sens
lorsqu'on est heureux.

AMIN (8 ANS)

ALICE 1 : Pour moi, le sens ce n'est pas la direction, mais c'est plutôt la valeur. Par exemple, si tu arrives à aider quelqu'un, si tu peux apporter de la joie aux autres, ça donne du sens à ta vie.

SARLA : Je suis d'accord avec Alice sur la valeur. Pour moi, le sens de la vie, c'est plutôt : à quoi ça sert de vivre ? La vie peut nous faire apprendre des choses.

JACOB : Moi je suis d'accord avec Aneesh et avec Alice : la direction et la valeur. Mais je pense que la mort ça fait aussi partie de la vie.

VESNA : En fait, la vie, je pense qu'elle n'a pas vraiment un sens, mais qu'on peut quand même prédire des grandes directions. Il y a des choses qui sont déjà écrites et que peuvent prévoir les tireurs de cartes, par exemple.

🅕 : Tu crois que chaque individu a un destin ?

VESNA : Voilà. On ne peut pas tout savoir, mais il y a des directions qu'on peut déjà prévoir. Mais ça ne veut pas dire que la vie a un sens pour autant.

ALICE 1 : Je ne suis pas d'accord avec toi, Vesna. La vie elle a quand même un sens parce que justement rien n'est programmé à l'avance et qu'on a le choix de vivre de telle ou telle manière, en fonction de nos valeurs. Mais je suis aussi d'accord avec Aneesh et Jacob :

la vie elle va aussi vers la mort et la mort ça fait partie de la vie.

ADRIEN : Pour moi il n'y a que deux moments que tu ne peux pas décider : c'est quand tu nais au monde et quand tu pars du monde. Mais tu es libre entre ta naissance et ta mort.

🅕 : Tu veux dire qu'il n'y a pas un sens prédéterminé, mais que chacun peut diriger sa vie comme il le veut ?

ADRIEN : Oui, il y aura toujours le même début et la même fin pour tous. Et entre les deux, chacun a la liberté d'aller dans telle ou telle direction.

🅕 : D'accord, mais entre les deux, est-ce que tu penses qu'on peut donner du sens à sa vie en termes de valeur, comme disait Alice ?

ADRIEN : Oui.

🅕 : Alors ça serait quoi, pour toi, donner du sens à ta vie ?

ADRIEN : Aider les gens, rendre heureuses des personnes, faire des choses bien.

ALICE 2 : Je ne pense pas qu'on puisse dire que la vie a un sens. Quand on me demande le sens de la vie, j'interprète la question comme le « pourquoi ? » de la vie. Et je pense que la vie n'a pas de pourquoi.

Sinon, pourquoi il y a des gens qui meurent de faim et d'autres qui ont tellement d'argent qu'ils ne savent même pas quoi en faire ? Je trouve moi que la vie n'a pas de pourquoi, mais que chacun peut donner du sens à sa vie, en l'orientant de telle ou telle manière, en fonction, comme disait Alice, de ses propres valeurs.

VESNA : Je pense quand même qu'on n'est pas si libres que ça et que c'est aussi le destin qui décide un peu.

Ⓕ : Tu as de la suite dans les idées, Vesna ! C'est quoi le destin, pour toi ?

VESNA : Je ne sais pas vraiment comment expliquer. Par exemple, si ton destin c'est de mourir comme ça, s'il y a des médecins qui essayent de prolonger ta vie, ça sert à rien, parce que ton destin, c'est de mourir comme ça.

GIADA : Même si ton destin c'est de mourir de telle maladie, si les médecins arrivent à te sauver, genre à te donner un médicament qui peut te faire durer plus longtemps, ça sert quand même à quelque chose.

ALICE 1 : Comme l'a dit Adrien, on est libres. Après, la vie ça peut avoir du sens ou pas. Si tu choisis quelque chose qui peut avoir du sens, ta vie aura du sens. Si tu ne mets pas de sens, eh bien tant pis, ta vie n'aura pas de sens.

Ⓕ : Donc, chacun donne du sens ou pas à son existence ?

ALICE 1 : Oui, et c'est libre. Vesna, je ne crois pas que c'est déjà programmé et qu'on a un destin. Ou alors juste pour la fin, mais au milieu on est libres. Par exemple, Ulysse, il va rentrer chez lui, c'est peut-être son destin, mais avant il va lui arriver plein d'aventures et il est libre de faire tel ou tel truc.

ANEESH : C'est assez vrai. Notre destin à tous c'est de mourir : on sait que c'est comme ça que l'histoire finira. Mais on est libre de la manière dont on va mourir. Celui qui meurt sur un champ de bataille, c'est son choix à lui d'aller se battre et de prendre le risque de mourir comme ça.

SARLA : Moi je ne suis pas totalement d'accord avec toi, parce que la manière dont tu meurs, oui, tu peux parfois la choisir, mais ça peut être aussi les autres qui la choisissent : si tu meurs dans un attentat par exemple, tu n'as pas de chance. Donc on ne peut pas toujours choisir les choses.

MANON : Je voudrais dire quelque chose par rapport à ce qu'ont dit Alice et Vesna. On n'a pas forcément un destin, comme l'a dit Alice. Parce que, par exemple, si je suis en voiture et que j'aie un accident, peut-être que je rencontrerai quelqu'un après à l'hôpital, avec qui je me marierai… Alors que si je n'étais pas sortie de chez moi et que je n'avais pas pris ma voiture, il ne me serait pas arrivé ces choses-là.

ELLA : Moi je pense aussi que si tu crois au destin, tu te dis : c'est pas la peine d'essayer, pour les médecins, de sauver quelqu'un si son destin c'est de mourir. Donc on ne fait plus rien pour essayer de changer les choses ou aider les gens si on croit au destin et que tout est programmé.

Ⓕ : Et qu'est-ce que tu en penses, toi ?

ELLA : Qu'on a le choix et que rien n'est programmé.

ALICE 2 : Je suis d'accord avec toi, Ella. Et si pour toi, Vesna, ça sert à rien de survivre quand t'as une maladie parce que tu vas mourir de toute façon, alors si ça sert à rien de survivre, ça sert à rien de vivre. Donc personnellement, je pense qu'il n'y a rien de programmé dans notre vie. Tout dépend de nous. Mais après, ça dépend aussi de nos croyances. Il y a peut-être des gens qui vont croire au destin, des gens qui ne vont pas y croire. Chacun a son avis et je pense que c'est une question à laquelle il est vraiment impossible de donner une réponse.

Ⓕ : Quelle philosophe, Alice !

La vie elle a un sens,
parce que parfois
on ne reçoit pas quelque chose
qu'on voudrait
mais après on atteint
quelque chose qui est mieux.
Dans la vie, on a tout le temps
une seconde chance.

AYOUB (9 ANS)

SALMA : Je suis d'accord avec Manon, parce que dans les films, des fois, il y a le personnage qui est pauvre et puis il va faire le choix, par exemple, de tourner à gauche et du coup il va sauver la star et devenir la personne la plus riche au monde. Eh bien s'il n'avait pas fait ce choix, sa vie aurait été tout autre. Donc, on a le choix.

LOÏC : Moi, je ne pense pas non plus qu'on puisse avoir un destin.

Ⓕ : Pourquoi ?

LOÏC : Parce que si on a un destin c'est comme si, par exemple, on avait une maladie, on pense qu'on va mourir, mais si quelqu'un découvre un médicament on va peut-être guérir, donc notre destin va être changé.

Ⓕ : Vesna, est-ce que tu souhaites répondre à tout ce qui a été dit sur le destin ? Est-ce que tu as changé un peu d'avis ou pas ?

VESNA : Moi, personnellement, je ne crois pas en la chance. Par exemple, pour devenir une star, beaucoup disent : «Ouais, c'est de la chance», mais moi, je ne pense pas que ce soit de la chance. C'est surtout du travail. Et c'est peut-être notre destin. Mais la chance, ça n'existe pas.

ACHRAF : Je ne suis pas d'accord avec toi, parce que si tu trouves une pièce dehors, au hasard comme ça, tu vas pas dire : « Je l'ai trouvée parce que j'ai regardé toutes les cartes de Genève. » Tu vas dire : « J'ai eu de la chance de trouver cette pièce ! »

Ⓕ : Vesna, tu es d'accord pour dire que la chance ça peut exister aussi de temps en temps, ou pas ?

VESNA : Non, je n'y crois pas.

GIADA : Il y a plusieurs personnes qui ont beaucoup travaillé pour être une star, mais qui n'ont pas réussi. Et il y en a qui ont moins travaillé, mais qui ont réussi à le faire. Peut-être parce qu'ils ont connu d'autres personnes qui pouvaient les aider. Donc ça, c'est un peu de la chance.

MARGOT : Je suis d'accord avec ce qu'ont dit Vesna et Achraf. S'il y a un contrôle et si tu le réussis, c'est parce que tu as bien travaillé. Mais si tu trouves une pièce par terre, comme Achraf l'a dit, c'est de la chance.

Ⓕ : Je voudrais terminer par une question. Alice disait qu'il n'y a pas forcément un sens de la vie, mais que chacun d'entre nous peut donner du sens à son existence. Alors, j'aimerais savoir quel sens vous avez envie de donner à votre vie.

GIADA : Le premier sens que j'ai envie de donner à ma vie, c'est de m'amuser.

Rires.

SALMA : Moi, je n'ai pas vraiment envie de donner un sens à ma vie, je veux juste que les choses viennent comme ça et les accueillir. Chaque événement important qui arrive, pour moi c'est comme un portail, et quand tu le passes, après ta vie elle change. Moi, je veux juste passer ces portails et je verrai après ce que je veux faire.

ACHRAF : Je suis d'accord avec Salma, je ne veux rien savoir de ce qui va arriver dans ma vie. Je suis juste heureux d'être sur Terre.

SARLA : Pour moi, donner de la valeur, c'est genre par exemple être contente que le monde soit content et obtenir ce que je souhaite dans la vie.

JACOB : Moi, dans ma vie, maintenant, j'aimerais bien devenir un chercheur, car j'adore la science, et j'aimerais aussi rendre les gens heureux.

Ⓕ : Tu voulais rajouter quelque chose, Sarla ?

SARLA : Oui, j'aimerais servir à quelque chose dans le monde. Plutôt que d'être très riche et heureuse et que les gens soient fâchés contre moi, je préférerais être pauvre et rendre les gens heureux, me dire que j'ai été utile aux autres.

GIADA : Moi, je n'aimerais pas vraiment être utile aux autres. Ce n'est pas mon but de la vie, je préfère m'amuser!

Rires.

🄵 : Au moins, c'est clair. On va terminer avec Alice.

ALICE 2 : En fait, dans ma vie, si je pouvais choisir, j'aimerais faire de bonnes études, avoir le travail de mes rêves, trouver l'amour de ma vie… et être heureuse!

Quand on me demande
le sens de la vie,
j'interprète la question
comme le « pourquoi ? » de la vie.
Et je pense que la vie
n'a pas de pourquoi.
Sinon, pourquoi il y a des gens
qui meurent de faim et d'autres
qui ont tellement d'argent
qu'ils ne savent même pas quoi
en faire ? Je trouve moi que
la vie n'a pas de pourquoi,
mais que chacun peut donner
du sens à sa vie, en l'orientant
de telle ou telle manière,
en fonction de ses propres valeurs.

ALICE (9 ANS)

Qu'est-ce qu'une vie réussie ?

La même question sur le sens de la vie est posée cette fois à des enfants plus petits (7-8 ans) de l'école publique de Brando, en Haute-Corse. Je l'ai prolongée par cette autre question : qu'est-ce qu'une vie réussie ? Une manière de parler des valeurs, de ce qui fonde une éthique de vie, de ce qui donne sens à notre existence.

FRÉDÉRIC : Selon vous, la vie a-t-elle un sens ?

ANTOINE 1 : Le sens de la vie, par exemple, c'est de partager.

JULIEN : Le sens de la vie, c'est de vivre ensemble.

F : Très bien, mais qu'est-ce que ça veut dire, que la vie a un sens ?

JULIEN : Je ne sais pas comment expliquer...

F : J'aimerais que vous arriviez à trouver les mots. Quand on dit que la vie a un sens, ça veut dire quoi ?

MATHIS : Rendre la gentillesse qu'on nous donne.

⑤ : Là encore, c'est un exemple : vivre ensemble, rendre la gentillesse, partager... Mais qu'est-ce que ça veut dire ?

UNE VOIX : Se faire des amis.

⑤ : Oui, mais c'est encore quelque chose de concret.

ANTOINE 2 : Alors le sens, c'est l'important ?

⑤ : Donc, donner un sens à la vie, c'est considérer ce qui est le plus important, c'est ça ?

ANTOINE 2 : Oui.

⑤ : Vous êtes d'accord pour dire que donner un sens à la vie, c'est définir ce qui est primordial ?

VOIX : Oui.

⑤ : Maintenant que vous avez dit ça, dites-moi ce qui est le plus important pour vous.

ANTOINE 1 : Avoir une famille.

JULIEN : Je l'ai déjà dit : bien vivre ensemble.

LOU : Avoir du plaisir.

LUANA : La santé.

⑤ : Tu veux dire que le sens de ta vie c'est d'être en bonne santé ?

TÉO : Non. On peut vivre dans la rue, être malheureux et en bonne santé.

NATUREL : Moi, je trouve que le sens de la vie, c'est la famille.

F : Finalement, vous êtes d'accord pour dire que le sens de la vie, c'est ce qui importe. Est-ce que ça peut vouloir dire autre chose, le mot sens ?

ANTOINE 1 : Oui, par exemple si je retourne la porte, c'est un autre sens…

CAMILLE : Une phrase, ça a un sens.

F : Tout à fait ! Et ça veut dire quoi qu'une phrase a un sens ?

CAMILLE : Ça veut dire qu'on ne dit pas n'importe quoi. Parce que si on inverse les mots, ça n'a plus de sens.

F : C'est indispensable que les mots soient à leur place pour que la phrase ait un sens. Une phrase qui a un sens, ça veut dire qu'elle a une signification. Maintenant est-ce qu'on peut dire que la vie a une signification ?

ANTOINE 1 : La signification de la vie, c'est d'être gentil, généreux et de ne pas être violent.

MATHIS : Être heureux…

F : Être heureux ! Vous êtes d'accord ?

JULIEN : Oui et non.

F : Pourquoi ?

JULIEN : C'est vrai qu'on a envie d'être heureux, de faire ce qu'on aime, mais il faut aussi être sérieux et penser aux autres.

🅕 : Le sens de la vie, ce qui est le principal et lui donne une signification, c'est d'être heureux, d'avoir du plaisir, mais aussi de penser aux autres, de partager ?

« Oui » général.

LOU : En fait, moi j'ai une question que j'ai posée plusieurs fois à mon père et il n'a pas su me répondre. C'est : pourquoi on vit ?

🅕 : *[Rires.]* Alors, est-ce que quelqu'un a la réponse ? Pourquoi on vit ?

Pas de réponse.

🅕 : Je vais vous poser la question autrement : selon vous, qu'est-ce qu'une vie réussie ? Pourquoi dirait-on de quelqu'un qu'il a réussi sa vie ?

ANTOINE 2 : C'est quelqu'un qui a vécu longtemps.

🅕 : Qui n'est pas d'accord avec Antoine ?

THOMAS : Je suis pas trop d'accord avec Antoine.

🅕 : Donne un argument. Pourquoi tu n'es pas d'accord avec le fait que vivre longtemps, c'est réussir sa vie ?

THOMAS : On peut vivre longtemps, mais par contre on peut être malade plein de fois.

CHIARA : Moi non plus je ne suis pas d'accord avec Antoine, vu que des fois, à cause du malheur ou des difficultés, on peut ne pas réussir notre vie comme on le voudrait.

Ⓕ : Alors c'est quoi, réussir sa vie ?

CHIARA : Pour moi, réussir ma vie c'est pouvoir faire un peu de toutes les choses que j'aimerais faire, réaliser mes projets.

JULIEN : Pour moi, c'est faire ce que j'ai envie de faire, le métier qui me plaît par exemple.

ANTOINE 1 : Réussir sa vie pour moi, c'est aussi faire le métier que je voudrais, mais c'est aussi ne pas être violent ou méchant, mais être gentil.

LOU : Pour moi, réussir ma vie c'est avoir assez d'argent pour payer mes factures et bien nourrir mes enfants.

Ⓕ : Alors, Antoine, tu as entendu ce qui a été dit, est-ce que tu continues de penser que réussir sa vie c'est de vivre longtemps, ou bien tu as changé d'avis ?

ANTOINE 2 : J'ai changé d'avis. Pour moi, c'est aussi d'être gentil avec les gens, de ne pas voler les affaires des autres, par exemple.

Ⓕ : Qui est-ce qui n'a pas encore parlé ?

ROMAISSA : C'est vivre avec mes parents et avoir de l'argent pour aider ceux qui en ont besoin.

NATUREL : C'est faire des choses qu'on aime.

LUANA : Pour moi, réussir sa vie, c'est un peu tout ce qui a été dit, mais je dirais surtout que c'est avoir plus de bonheur que de malheur.

Ⓕ : Et pensez-vous qu'il faut avoir beaucoup d'argent pour réussir sa vie ?

« Non » général.

Ⓕ : Pourquoi ?

CAMILLE : Il y a une expression qui dit que l'argent ne fait pas le bonheur.

Ⓕ : Et tu penses que c'est vrai ?

Hochement de tête de Camille.

Ⓕ : Pourquoi ?

CAMILLE : Je ne sais pas.

CHIARA : On peut peut-être ne pas avoir beaucoup d'argent, mais on peut réussir sa vie, comme par exemple en faisant le métier qu'on aime. En fait, on n'a pas besoin de beaucoup d'argent pour être heureux.

JULIEN : Oui, mais si tu gagnes beaucoup d'argent, par exemple si tu deviens joueur de foot, tu peux donner de l'argent à des personnes qui sont pauvres.

Une vie réussie,
je pense que c'est
quand on a fait
plein de choses
qui nous ont rendus
heureux.

MARIEM (8 ans)

LOU : Moi, si je serais riche, ça me rendrait malheureuse.

Ⓕ : Pourquoi ?

LOU : Parce que, comme a dit Luana, s'il y a des pauvres qui n'ont pas d'argent et qui ne peuvent pas manger alors que moi je suis riche et je peux faire plein de choses, ça me rendrait malheureuse.

NATUREL : Moi, je pense qu'on peut être pauvre et quand même réussir sa vie et être heureux.

THÉO : Je ne voudrais pas être milliardaire, parce qu'une fois que tu as réalisé tous tes désirs, ça te sert à quoi, l'argent ?

THOMAS : Moi je dis qu'il faut avoir de l'argent, mais juste ce qu'il faut pour vivre, parce que ça sert à rien d'être trop riche. Il y a des pauvres qui n'ont pas d'argent, mais ils sont juste heureux de vivre s'ils ont quand même de quoi manger. Il faut juste avoir suffisamment d'argent pour vivre normalement.

Ce second atelier – sur les mêmes questions, mais dans l'ordre inverse – a été réalisé à Bruxelles à l'école Saint-Charles, dans le quartier populaire de Molenbeek, avec des enfants de 8 à 11 ans, dont beaucoup sont issus de l'immigration.

ⓕ : Qu'est-ce qu'une vie réussie ?

ZEKERIYA : Quand on a envie de faire quelque chose et quand on arrive à le faire, c'est une vie réussie.

MARIEM : Une vie réussie, je pense que c'est quand on a fait plein de choses qui nous ont rendue heureuse.

AMIN : Une vie réussie pour moi, c'est être quelqu'un de bien, qui ne fait pas de mal aux autres, qui va réconforter les gens qui souffrent et réconcilier ceux qui se sont disputés. Ça, c'est une vie réussie.

HASSAN : Je ne suis pas d'accord avec toi, Amin, parce qu'une vie réussie, c'est pas juste tout faire bien et aider les autres, c'est être heureux dans la vie.

ⓕ : Donc toi, Hassan, tu es plutôt d'accord avec Mariem pour dire qu'une vie réussie, c'est être heureux dans la vie. Qui est-ce qui est plutôt d'accord avec ça, ou plutôt avec Amin pour dire qu'une vie réussie, c'est de bien agir et aider les autres ?

MAROUA : Ça ne s'oppose pas, en fait, parce que quand on console ou on réconcilie les autres, quand ils sont contents, nous aussi on est content!

ADAM : Moi, je pense qu'une vie réussie, c'est d'avoir fait tout ce qu'on voulait faire!

AMIN : Oui, mais si tu voulais faire des choses mauvaises et que tu les as faites, ce n'est pas bien. Alors ta vie elle ne sera pas réussie.

🅕 : Qu'est-ce que tu en penses, Adam?

ADAM : Il a raison.

HASSAN : Je suis d'accord aussi.

🅕 : Est-ce qu'il y en a qui ne sont pas d'accord? Qui disent : «Peu importe si on a fait des choses bien ou mal»?

Pas de réponse.

ADAM : Non, il ne faut jamais faire quelque chose de mal.

🅕 : Mais est-ce que tu penses que c'est possible de ne jamais faire quelque chose de mal?

ADAM : Non.

AMIN : On peut faire au début des choses mal et après des choses bonnes. Le principal, c'est qu'on avance dans la bonne direction. Et si on fait des choses mauvaises sans le faire exprès, ce n'est pas grave, mais si on le fait exprès… c'est grave.

Ⓕ : Tu dis quelque chose de fort : ce qui compte c'est l'intention qu'on met dans ce qu'on fait. Si on fait des choses mauvaises, mais qu'on ne l'a pas fait volontairement, c'est beaucoup moins grave que si on l'a fait volontairement.

VOIX : Oui.

MARIEM : Mais peut-être qu'on a fait des choses mauvaises sans savoir que c'était mal. Alors même si on les a faites, ce n'est pas très grave. Alors que ceux qui savent que c'est mal et qui continuent à les faire, parce qu'ils aiment bien les faire, c'est grave.

Ⓕ : C'est un des fondements de la vie morale que vous rappelez là. Vous êtes de vrais petits philosophes ! Je récapitule un petit peu. Vous avez dit : une vie réussie, c'est d'avoir fait ce qu'on aime, être heureux, pouvoir rendre les autres heureux ou les aider. Est-ce qu'il y a autre chose encore ?

MAROUA : Une vie réussie, c'est par exemple qu'on rêve d'aller quelque part et qu'on demande à notre mère et elle dit oui et ça arrive.

Ⓕ : Une vie réussie, c'est d'avoir pu réaliser ses rêves ?

SALMA : Oui.

ADAM : Je suis pas d'accord avec moi quand j'avais dit que réussir sa vie c'était de faire tout ce qu'on avait envie de faire, parce que si on a tout fait dans la vie, on s'ennuiera, après.

AMIN : Monsieur Frédéric, j'ai une vie réussie : j'ai un papa et une maman !

MARIEM : Parce qu'une famille elle peut toujours être là pour toi, même quand nous on n'est pas là pour elle, elle, elle est là pour nous.

AMIN : En fait, grâce à notre famille, on a de l'amour.

🅕 : Est-ce que vous diriez qu'une vie réussie, c'est avoir connu de l'amour ?

VOIX NOMBREUSES : Oui.

🅕 : Est-ce que pour quelqu'un ce n'est pas nécessaire ?

HASSAN : Des fois non, des fois oui.

🅕 : Qu'est-ce que tu veux dire ?

HASSAN : Des fois, il y a des familles qui aiment leurs enfants, des fois il y a des familles qui n'aiment pas leurs enfants. Il y a des mamans qui ne veulent pas garder leurs enfants.

🅕 : Ce que tu veux dire c'est que la famille n'apporte pas forcément de l'amour ?

Hochement de tête de Hassan.

🅕 : Mais est-ce que tu es d'accord pour dire que l'essentiel, c'est l'amour ?

HASSAN : Oui.

Une vie réussie, pour moi,
c'est être quelqu'un de bien,
qui ne fait pas de mal aux autres,
qui va réconforter les gens
qui souffrent et réconcilier
ceux qui se sont disputés.
Ça, c'est une vie réussie.

AMIN (9 ans)

MARIEM : Si on a de l'amour, c'est bien, mais quand on n'a pas d'amour... eh bien c'est pas grave, parce que peut-être qu'on sera encore adopté... Qu'on aura peut-être de l'amour avec les parents qui nous ont adopté.

AMIN : Mais quand on est adopté, il y a des parents qui ne nous aiment pas. Alors on va faire des choses bien, ils vont commencer à aimer ce qu'on fait et ensuite on aura de l'amour grâce à ça.

🅟 : Quelle autre expérience que celle de l'amour doit-on faire pour réussir sa vie ?

MAROUA : Il y a les amis. Si on n'a pas d'amis, on se sent tout seul, alors on est triste. Et si on a un ami, on est heureux.

🅟 : Autre question qui est un peu différente : pour vous, la vie a-t-elle un sens ?

MARIEM : Je crois qu'elle a un sens, mais je ne sais pas très bien l'expliquer.

AMIN : Il y a un sens à la vie, parce que sinon pourquoi on serait là ?

Rires.

RAYAN : Si la vie n'avait pas de sens, on ne vivrait pas.

AYOUB : Moi, je dis que la vie elle a un sens, parce que parfois on ne reçoit pas quelque chose qu'on voudrait, mais après on atteint quelque chose qui est mieux. Dans la vie, on a tout le temps une seconde chance.

ADAM : Je ne sais pas si elle a un sens pour tout le monde, parce que quand on est trop pauvre, notre vie elle n'a pas de sens, on peut rien faire, on est juste dans la rue.

MAROUA : C'est vrai, la vie parfois elle a du sens et parfois elle n'en a pas. Quand on est triste, la vie elle n'a pas de sens.

AMIN : La vie elle a un sens parce qu'on a des amis, une famille, des cousins, des personnes avec qui partager. Sinon, elle n'a pas de sens. La vie elle a un sens lorsqu'on est heureux.

ⓟ : Qui pense qu'il y a une direction de la vie ?

AYOUB : Oui.

ⓟ : Pourquoi oui, Ayoub ?

AYOUB : On peut choisir ce qu'on veut faire.

AMIN : C'est vrai ! Le sens, c'est qu'est-ce qu'on veut faire. Par exemple, moi, quand je serai grand, j'ai envie d'essayer qu'il n'y ait plus de guerres dans le monde.

MARIEM : C'est vrai qu'on est libre de faire des choses, on peut faire tout ce qu'on veut dans la vie et personne ne peut nous en empêcher... à part les parents quand on est petits.

AMIN : Je ne suis pas d'accord. La liberté, ce n'est pas faire tout ce qu'on veut, parce que des fois, on va faire des choses mauvaises.

🅕 : La limite que tu mettrais à la liberté, c'est le respect d'autrui ?

AMIN : Oui.

ADAM : Non, ce n'est pas si important que ça d'avoir des amis.

🅕 : Pourquoi ?

ADAM : Parce qu'on a des frères et sœurs, c'est comme des amis, mais on les aime plus.

🅕 : Qu'est-ce que vous en pensez ? Qui est-ce qui a peu parlé ?

OMER : C'est important d'avoir des amis, parce que quand on va grandir, eh bien on va vivre tout seul et on va s'ennuyer.

AYOUB : Je suis un petit peu d'accord avec Adam parce que après, comme nos frères seront partis, on sera marié et on aura des enfants à notre tour. Donc le plus important, c'est la famille.

🅕 : Est-ce que vous pensez tous que pour réussir sa vie il faut fonder une famille ?

AMIN : Pas forcément, parce que comme madame Stéphanie elle a dit, c'est nous qui décidons si nous voulons nous marier ou ne pas nous marier.

MAROUA : Moi je pense qu'on peut avoir une vie réussie même si on ne s'est pas marié, parce qu'on a toujours une famille, on a des frères et sœurs, des neveux et des nièces, on ne sera jamais seuls.

🅕 : Vous avez beaucoup parlé de l'amour et de la famille, mais est-ce que vous croyez que pour avoir une vie réussie, il faut gagner beaucoup d'argent ?

«Non» général.

🅕 : Il n'y en a aucun qui pense que l'argent compte pour réussir sa vie ?

HASSAN : Si, pour acheter de la nourriture, payer ses factures, offrir des cadeaux à nos amis et faire plaisir à nos enfants. Mais on n'en a pas besoin de trop.

AYOUB : Si on a beaucoup d'argent, on pourra donner aux pauvres.

MAROUA : Moi, si j'avais beaucoup d'argent, je donnerais la moitié aux pauvres.

AMIN : Il y a beaucoup plus de personnes heureuses dans les pays pauvres et moins de personnes heureuses dans les pays riches.

F : Pourquoi ?

AMIN : Si on a trop d'argent, alors on va acheter beaucoup de choses et ça va nous faire trop plaisir, mais ensuite on va s'en lasser et on sera triste… Alors que les pauvres, ils attendent beaucoup et quand ils obtiennent ce qu'ils veulent, là ils sont vraiment joyeux.

SALMA : Il ne faut pas avoir ni trop ni trop peu d'argent.

MAROUA : Il faut avoir la moyenne…

AYOUB : Je ne suis pas d'accord avec Salma, parce que si on gagne beaucoup d'argent, on pourra en donner encore plus aux pauvres et comme ça ils seront sauvés.

F : Est-ce que tu crois que les gens qui gagnent beaucoup d'argent, donnent l'essentiel de leur argent aux pauvres ?

AYOUB : Non, parce qu'ils font surtout attention à eux.

Vingt grandes notions en fiches

L'amour

« Toute notre félicité et toute notre misère ne résident qu'en un seul point : à quelle sorte d'objet sommes-nous attachés par l'amour ? » **BARUCH SPINOZA**, *Éthique*

• QUESTIONNEMENT

Que signifie dire « je t'aime » ? Quelles sont les différences entre aimer ses parents, ses amis, son ou sa petite amie ? Puis-je aimer tout le monde ? L'amour exige-t-il un choix ? Aimer, est-ce une émotion, un sentiment, une idée, une action ?

• CE N'EST PAS

La haine : sentiment né souvent de l'amour que l'on nous refuse ou suite à la mort ou la déception d'un amour.

Exemple : je peux haïr un ami qui m'a trahi.

• CELA SE COMPOSE

D'*Éros* : désir charnel : j'aime ce qui me manque, j'en suis dépendant, c'est l'amour-passion, un amour-élection.

Exemple : selon Platon, les amoureux sont deux moitiés d'un même être qui aurait été séparé par Zeus et que l'amour réunit à nouveau.

De *Philia* : amitié : inclination réciproque entre deux êtres qui aiment ce qu'ils sont ; c'est l'amour-joie, un amour-sélection.

Exemple : selon Aristote, l'amitié véritable est un amour vertueux qui fait de l'ami un miroir qui permet de se voir tel que l'on est et d'accéder au bonheur.

D'*Agapé* : amour du prochain : j'aime l'humain en général, c'est l'amour-charité, un amour universel.

Exemple : selon Jésus, l'amour du prochain ne fait aucune distinction entre son ami et son ennemi ; on ne choisit pas qui on aime et on aime son prochain comme soi-même.

• ÉTYMOLOGIE

Vient du latin *amor* qui signifie affection ou vif désir.

• DÉFINITION DOMINANTE

L'amour est un sentiment profond, un lien intense qui a plusieurs facettes dont l'affection, la tendresse et l'attrait physique.

• CITATIONS / RÉFLEXIONS

« Ce qu'on n'a pas, ce qu'on n'est pas, ce dont on manque, voilà les objets du désir et de l'amour. » **PLATON, Le Banquet**

Si l'amour est manque, peut-il combler nos attentes? Peut-on posséder l'être aimé comme un objet? Si l'amour est dépendance, peut-il nous rendre heureux?

« Aimer, c'est se réjouir. » **ARISTOTE, Éthique à Nicomaque**

En quoi aimer nous fait du bien? S'aimer soi-même, est-ce être égoïste? L'autre peut-il m'aimer si je ne m'aime pas moi-même? Peut-on aimer si on n'a pas été aimé?

« L'amour est un oui inconditionnel qui est pleine ouverture, engagement à laisser être celui que l'on aime, être ce qu'il est, en pariant ce qu'il y a en lui de meilleur. » **FABRICE MIDAL, L'Amour à découvert**

Vouloir changer l'autre, est-ce l'aimer? Peut-on tout accepter des gens qu'on aime? L'amour existe-il sans preuve d'amour?

• RÉFÉRENCES

OUVRAGES : *Le Banquet,* Platon • *Éthique à Nicomaque,* Aristote • *Roméo et Juliette,* William Shakespeare, 1597 • *L'Insoutenable Légèreté de l'être,* Milan Kundera, Gallimard, 1984 • *De l'amour et de la solitude,* Jiddu Krishnamurti, Stock, 1998 • **FILMS :** *Jules et Jim,* François Truffaut, 1962 • *Eternal Sunshine of the Spotless Mind,* Michel Gondry, 2004 • *Le Secret de Brokeback Mountain,* Ang Lee, 2005 • *Amour,* Michael Haneke, 2012 • **BANDES DESSINÉES :** *Quartier lointain,* Jiro Taniguchi, Casterman, 2006

L'argent

« L'argent est un bon serviteur et un mauvais maître. » **FRANCIS BACON**

• QUESTIONNEMENT

Qu'est-ce que l'argent ? À quoi sert-il ? L'argent est-il un moyen ou un but ? Doit-il être dépensé ou accumulé ? L'argent a-t-il de la valeur ? En quoi l'argent est-il une convention ?

• CE N'EST PAS

La gratuité : caractère de ce qui ne coûte rien, qui est proposé sans contre-partie.

Exemple : l'enseignement public est gratuit, on ne paie pas pour aller à l'école.

• C'EST DIFFÉRENT

Du troc : échange direct d'objet à objet, de service contre service, que l'on considère de valeur équivalente, sans l'intermédiaire de monnaie.

Exemple : « On échange des choses utiles contre d'autres, (...) on donne et on reçoit du vin contre du blé. » Aristote, *Politiques*

Du don : action d'offrir quelque chose que l'on possède ; le don peut se faire de façon désintéressée, mais peut attendre en retour un contre-don car il permet de tisser des liens entre individus.

Exemple : faire un cadeau est un don généreux, mais quand nous faisons un sourire n'attendons-nous pas un sourire en retour ?

• ÉTYMOLOGIE

Du latin *argentum*, métal brillant et précieux.

• DÉFINITION DOMINANTE

L'argent est un moyen général, un étalon de mesure qui favorise les échanges des biens et des services. Il permet le commerce, fixe un prix, une valeur à un bien, à des savoirs ou des savoir-faire que l'on paie en monnaie.

• CITATIONS / RÉFLEXIONS

✐ *« Je suis laid mais je peux m'acheter la plus belle femme. Donc je ne suis pas laid, car l'effet de la laideur, sa force repoussante est anéantie par l'argent. »*
KARL MARX, *Manuscrits de 1844*

L'argent est-il tout-puissant ? L'argent nous rend-il puissant ? Tout peut-il s'acheter ? Le temps, est-ce de l'argent ? En quoi l'argent peut-il pervertir les relations humaines ?

✐ *« Malgré ce que soutiennent les riches, l'argent suffit à faire le bonheur des pauvres ; malgré ce que s'imaginent les pauvres, l'argent ne suffit pas à faire le bonheur des riches. »* **JEAN D'ORMESSON, *C'était bien***

L'argent fait-il le bonheur ? L'argent favorise-t-il l'égoïsme ? L'argent est-il un objet de malheur ?

✐ *« Qui aime l'argent n'est jamais rassasié d'argent. »* **ECCLÉSIASTE**

Aimer l'argent, est-ce un problème ? Peut-on devenir esclave de l'argent ? Toute somme d'argent est-elle bonne à prendre ? Vouloir accumuler de l'argent peut-il nous rendre malhonnête ? Que signifie l'expression « L'argent n'a pas d'odeur » ? Qu'appelle-t-on de l'argent sale ?

• RÉFÉRENCES

OUVRAGES : *L'Avare*, Molière, 1668 • *Conte de Noël*, Charles Dickens, 1857 • *Philosophie de l'argent*, Georg Simmel, 1900 • *Essai sur le don*, Marcel Mauss, 1924 • **FILMS :** *Le Loup de Wall Street*, Martin Scorsese, 2013 • 😊 *Le Drôle de Noël de Scrooge*, Robert Zemeckis, 2009 • **SÉRIES :** *Les Simpson* (le personnage de Burns) • **BANDES DESSINÉES :** *Le Casse*, Blengino/Sarchione/Pieri, Delcourt, 2010

😊 : référence accessible aux enfants

L'art

« *Tous les arts sont comme des miroirs, où l'homme connaît et reconnaît quelque chose de lui-même qu'il ignorait.* » **ALAIN,** *Vingt leçons sur les Beaux-Arts*

• QUESTIONNEMENT

Qu'est-ce qu'une œuvre d'art? L'art a-t-il un but? L'art n'a-t-il qu'une fonction décorative? Qu'est-ce qu'un artiste? En quoi se différencie-t-il d'un artisan?

• CE N'EST PAS

La nature : l'ensemble des êtres et des choses, le monde physique qui constitue l'univers. Ce qui n'est pas transformé par l'homme, en dehors du monde humanisé.

Exemple : un arbre dans une forêt sauvage n'est pas modifié par l'homme ; à l'inverse, un tableau représentant un arbre exprime le regard subjectif de l'artiste sur l'arbre.

La science : un savoir que l'on vérifie par des faits, par l'expérimentation fournissant des preuves tangibles et permettant une objectivité des résultats. Exemple : la physique étudie la nature ; la sociologie explique les comportements humains.

• C'EST DIFFÉRENT

De l'artisanat : technique appliquant des méthodes de fabrication, des règles en vue d'un but précis. Obtenu par un travail manuel, l'objet produit a une fonction utile pour un usage défini et profitable.

Exemple : l'artisan pâtissier fait des gâteaux pour nous nourrir, faire plaisir et gagner sa vie.

• ÉTYMOLOGIE

Le latin *ars* désigne les savoir-faire, que l'on retrouve dans artiste et artisan.

• DÉFINITION DOMINANTE

L'art est une activité humaine qui combine inspiration, habileté, savoir-faire, transformation de matières... pour créer des œuvres.

• CITATIONS / RÉFLEXIONS

« L'art ne veut pas la représentation d'une chose belle mais la belle représentation d'une chose. » **EMMANUEL KANT,** *Critique de la faculté de juger*
L'art se doit-il d'être beau ? Se doit-il d'être utile ? À quoi peut-il servir ?

« L'art ne reproduit pas le visible, il rend visible l'invisible. » **PAUL KLEE,** *Credo du créateur*
L'art doit-il imiter la nature ? L'art nous fait-il apprécier la beauté du monde ? L'art nous aide-t-il à mieux comprendre le monde ? L'art nous rend-il meilleurs ?

« L'art est le lieu de la liberté parfaite. » **ANDRÉ SUARÈS**
L'art consiste-t-il à copier ou à inventer ? L'artiste est-il limité ou libre de tout créer ? Tout peut-il devenir art ?

• RÉFÉRENCES

OUVRAGES : *Critique de la faculté de juger,* Emmanuel Kant, 1790 • *Cours d'esthétique,* Friedrich Hegel, 1818 • *Le Monde comme volonté et comme représentation,* Arthur Schopenhauer, 1819 • *Lettres à Théo,* Vincent Van Gogh, Gallimard, 1988 • *Jonas, ou l'Artiste au travail,* Albert Camus, Gallimard, 1957 • **FILMS :** *Amadeus,* Milos Forman, 1984 • ☺ *Le Tableau,* Jean-François Laguionie, 2011 • *Le Sel de la terre,* Juliano Ribeiro Salgado/Wim Wenders, 2014 • **SÉRIES :** *Da Vinci's Demons,* David Goyer, 2013 • **BANDES DESSINÉES :** ☺ *Léonard, génie à toute heure,* De Groot/Turk, Dargaud, 1981

Autrui

«*Autrui, pièce maîtresse de mon univers. (...) Le rempart le plus sûr c'est notre frère, notre voisin, notre ami ou notre ennemi, mais quelqu'un, grands dieux, quelqu'un!*» **MICHEL TOURNIER, *Vendredi ou les Limbes du Pacifique***

• QUESTIONNEMENT

Qui est autrui? Me ressemble-t-il? Quelles différences y a-t-il entre moi et l'autre? Que suis-je pour les autres? Que pouvons-nous savoir d'autrui?

• CE N'EST PAS

Moi : la personne que «je» suis, le sujet singulier que j'incarne par l'addition de mon histoire unique, de mon expérience propre, de mes qualités, défauts et goûts particuliers.

Exemple : Moi, Samantha, 9 ans, de Montpellier, etc.

• CELA SE COMPOSE

De l'autre : ce qui est différent de moi. Ensemble des êtres humains. Et des autres êtres vivants sensibles comme les animaux?

Exemple : mes parents, mon ami(e), le voisin, l'inconnu(e).

Du même : mais autrui est semblable à moi, il me ressemble; malgré nos différences, nous appartenons à l'humanité par des caractéristiques similaires.

Exemple : autrui et moi avons un visage, et même si on ne parle pas la même langue, on peut se sourire ou se faire une grimace.

• ÉTYMOLOGIE

Vient du latin *alter*, qui signifie autre; l'autre n'est pas moi.

• DÉFINITION DOMINANTE

Autrui est un «alter ego», un autre moi. *Alter*, il est un autre; par nos différences, cette altérité engendre des difficultés de compréhension. *Ego*, il est un autre «je», un «tu». Autrui et moi vivons dans un monde commun dans lequel nous tissons des relations comme dans le dialogue.

• CITATIONS / RÉFLEXIONS

« "Fais à autrui comme tu veux qu'on te fasse" inspire à tous les hommes cette autre maxime de bonté naturelle, bien moins parfaite mais plus utile peut-être que la précédente : "Fais ton bien avec le moindre mal d'autrui qu'il est possible."» **JEAN-JACQUES ROUSSEAU, *Discours sur l'origine et les fondements de l'inégalité parmi les hommes***

Autrui veut-il forcément ce que je veux ? Puis-je savoir ce que veut autrui ?

«Dans l'expérience du dialogue, il se constitue entre autrui et moi un terrain commun, ma pensée et la sienne ne font qu'un seul tissu (...) dont aucun de nous n'est le créateur.» **MAURICE MERLEAU-PONTY, *Phénoménologie de la perception***

En quoi le dialogue avec autrui est-il intéressant? Le dialogue nous permet-il de mieux connaître autrui? Puis-je changer de point de vue en parlant avec autrui?

«Autrui est le médiateur indispensable entre moi et moi-même.» **JEAN-PAUL SARTRE, *L'Être et le Néant***

En quoi autrui est-il le reflet de ce que je suis? Faut-il craindre le regard d'autrui? La conscience de soi suppose-t-elle autrui?

• RÉFÉRENCES

OUVRAGES : *Discours sur l'origine et les fondements de l'inégalité parmi les hommes*, Jean-Jacques Rousseau, 1755 • *Huis-clos*, Jean-Paul Sartre, Gallimard, 1947 • *La Stratégie Ender* et *La Voix des morts*, Orson Scott Card, Opta, 1986-1987 • **FILMS :** 🙂 *Elephant Man*, David Lynch, 1980 • 🙂 *Pocahontas*, Mike Gabriel/Eric Goldberg, 1995 • *X Men*, Bryan Singer, 2000 • *Morse*, Tomas Alfredson, 2009 • **SÉRIES :** *True Blood*, Alan Ball, 2008 • **BANDES DESSINÉES :** 🙂 *Neandertal*, Emmanuel Roudier, Delcourt, 2007-2011

La beauté

« La beauté, voilà un vrai mystère, bien plus intéressant que celui de l'âme. »
CHRISTIAN BOBIN, *Le Très-Bas*

• QUESTIONNEMENT

Qu'est-ce que la beauté ? La beauté, est-ce important ? Peut-on être universellement d'accord sur ce qui est beau ? Les goûts et les couleurs se discutent-ils ?

• CE N'EST PAS

La laideur : ce qui est repoussant, déplaisant, dégoûtant, inesthétique.
Exemple : dans les contes ou dans les films, les morts-vivants sont laids, ils nous effrayent par leur aspect monstrueux et répugnant.

• C'EST DIFFÉRENT

De l'utile : ce dont on peut se servir, ce qui est efficace, fonctionnel.
Exemple : une montre, c'est ce qu'on utilise pour connaître l'heure.

De l'agréable : ce qui est attrayant, appréciable, qui donne un certain contentement.
Exemple : boire un jus d'orange frais est agréable.

• ÉTYMOLOGIE

Vient du latin *bellus*, ce qui est aimable, charmant, joli, délicat.

• DÉFINITION DOMINANTE

La beauté est ce qui plaît, qui procure un plaisir admiratif, qui nous fait éprouver une émotion esthétique, une satisfaction intellectuelle au sujet d'une représentation sensible, suscite un jugement qu'on espère pouvoir partager avec autrui.

• CITATIONS / RÉFLEXIONS

« Le beau, comme la vérité, est une chose relative au temps où l'on vit et à l'individu apte à le concevoir. » **GUSTAVE COURBET**

Peut-on déterminer des critères objectifs de ce qui est beau ? La beauté ne dépend-elle pas de notre point de vue subjectif ? De notre histoire ? De notre culture ?

« La beauté est dans les yeux de celui qui regarde. » **OSCAR WILDE**

Est-ce le regard de l'autre qui nous rend beau ? La beauté de l'autre est-elle un plaisir ou une souffrance ? La beauté est-elle un don de la nature ou une affaire de volonté ?

« La simplicité véritable allie la bonté à la beauté. » **PLATON, *La République***

La beauté a-t-elle un sens ? Une personne belle est-elle forcement bonne ? La beauté du monde, d'un paysage, d'un tableau, est-ce important ?

• RÉFÉRENCES

OUVRAGES : *Le Portrait de Dorian Gray*, Oscar Wilde, 1890 • *Les Voleurs de beauté*, Pascal Bruckner, Grasset, 1997 • *Cinq méditations sur la beauté*, François Cheng, Albin Michel, 2006 • **FILMS :** *American Beauty*, Sam Mendes, 1999 • 😊 *La Belle et la Bête*, Gary Trousdale/Kirk Wise, 1991 • **BANDES DESSINÉES :** *Le Combat ordinaire*, Manu Larcenet, Dargaud, 2008

Le bonheur

« Vivre heureux, c'est ce que tout le monde veut, mais quand il s'agit de dire en quoi cela consiste personne n'y voit clair. » **SÉNÈQUE**

• QUESTIONNEMENT

C'est quoi être heureux ? Le bonheur dépend-il de chacun ? Le bonheur est-il accessible ? Le bonheur vient-il de nos gènes et de notre sensibilité ? Des événements extérieurs ? Du regard que nous portons sur nous-mêmes et sur le monde ? De nos choix ?

• CE N'EST PAS

Le malheur : état d'insatisfaction profonde et pénible qui affecte douloureusement.

Exemple : l'enfant qui vient de perdre ses parents dans un accident est malheureux.

• C'EST DIFFÉRENT

Du plaisir : état de satisfaction sensoriel et éphémère obtenu lorsque l'on répond à un besoin, à un désir, à un manque, à un trop-plein.

Exemple : quel plaisir de boire un verre d'eau après avoir couru au soleil ! J'avais soif (besoin à combler), j'ai bu (satisfaction du besoin).

De la joie : sensation de gaieté, émotion de contentement limitée dans la durée exprimant une satisfaction intense que procurent des circonstances favorables, des événements agréables.

Exemple : j'éprouve de la joie à réussir un examen.

• ÉTYMOLOGIE

Le bonheur c'est ce qui est « de bon heur », de bon augure, qui est donc lié à la chance, au hasard.

• DÉFINITION DOMINANTE
Le bonheur est un état global et durable de satisfaction.

• CITATIONS / RÉFLEXIONS

«J'ai reconnu le bonheur au bruit qu'il a fait en partant.» **JACQUES PRÉVERT, *Paroles***

Sentons-nous le bonheur? Ai-je besoin de l'expérience du malheur pour sentir la présence du bonheur? Le bonheur n'est-il que nostalgique? Qu'attendons-nous pour être heureux?

« C'est pourquoi nous disons que le plaisir est le commencement et la fin de la vie heureuse. » **ÉPICURE, *Lettre à Ménécée***

Le plaisir suffit-il à notre bonheur? Est-il possible d'être heureux sans éprouver du plaisir? Le bonheur est-il dans une vie de plaisirs? Pour être heureux, faut-il être raisonnable?

« Une hirondelle ne fait pas le printemps, ni non plus un seul jour : et ainsi la félicité et le bonheur ne sont pas davantage l'œuvre d'une seule journée, ni d'un bref espace de temps. » **ARISTOTE, *Éthique à Nicomaque***

Quand peut-on dire : «Je suis heureux»? Faut-il vouloir toujours plus de bonheur? Peut-on être heureux en toutes circonstances? Peut-on être heureux tout seul?

• RÉFÉRENCES

OUVRAGES : *Éthique à Nicomaque*, Aristote • *Lettre à Ménécée*, Épicure • *Propos sur le bonheur*, Alain, Gallimard, 1925 • *Du bonheur, un voyage philosophique*, Frédéric Lenoir, Fayard, 2013 • **FILMS :** *Le Fabuleux Destin d'Amélie Poulain*, Jean-Pierre Jeunet, 2001 • 😊 *Le Livre de la jungle*, Wolfgang Reitherman, 1967 • **BANDES DESSINÉES :** 😊 *Zia Flora*, Paronuzzi/Djinda, Sarbacane, 2014

Le corps et l'esprit

« *L'âme et le corps, le corps et l'âme – quel mystère en eux ! (...) Qui peut dire où s'arrête l'élan charnel, où commence l'élan psychique ? (...) Mystère que la séparation de l'esprit d'avec la matière, mais mystère aussi que l'union de l'esprit et de la matière.* » **OSCAR WILDE**, *Le Portrait de Dorian Gray*

• QUESTIONNEMENT

Qu'est-ce le corps ? Qu'est-ce que l'âme ou l'esprit ? Que produit le corps ? Que produit l'esprit ? Le corps et l'esprit sont-ils des choses différentes ?

• CE N'EST PAS

Le minéral : ce sont des solides naturels, ce n'est pas organique.

Exemple : un rocher est un corps inanimé.

• C'EST DIFFÉRENT

De la conscience : faculté de connaître ses émotions, sentiments, pensées et actions. Il en existe deux formes : la conscience spontanée, dirigée vers le monde extérieur, la conscience réfléchie, capacité à faire un retour sur soi-même.

Exemple : avoir mauvaise conscience, c'est juger qu'on a accompli une action mauvaise et se la reprocher.

• ÉTYMOLOGIE

Corps vient de *corpus*, c'est-à-dire un élément physique, vivant ou non ; esprit vient du latin *spiritus*, qui signifie souffle.

• DÉFINITION DOMINANTE

Le corps est une matière existante, une substance animée faite de chair et d'organes; il est palpable, évolutif et éphémère. L'esprit est impalpable, il est lié à la pensée, à la réflexion. Le corps est physique quand l'esprit est métaphysique, c'est-à-dire au-delà du physique.

• CITATIONS / RÉFLEXIONS

« Les maux du corps sont les mots de l'âme. Ainsi, on ne doit pas guérir le corps sans chercher à guérir l'âme. » **PLATON**

Puis-je être bien dans ma tête si je ne suis pas bien dans mon corps? Puis-je être bien dans mon corps si je ne suis pas bien dans ma tête? Que cela signifie-t-il quand on dit que le corps parle?

« Le corps ne peut subsister sans l'esprit, mais l'esprit n'a nul besoin du corps. » **ÉRASME**

Le corps existe, mais l'esprit existe-t-il? Le corps peut-il exister sans l'esprit? L'homme est-il le seul être vivant à avoir un esprit? L'esprit est-il un principe vital individuel ou universel?

« Nous ne sommes pas seulement corps, ou seulement esprit; nous sommes corps et esprit tout ensemble. » **GEORGE SAND, *Histoire de ma vie***

Le corps et l'esprit sont-ils séparés ou liés? L'esprit est-il le pilote du navire corps? Le corps influence-t-il l'esprit? Peut-on le savoir?

• RÉFÉRENCES

OUVRAGES : *Phédon*, Platon • *De l'âme*, Aristote • *Méditations métaphysiques*, René Descartes, 1641 • *Éthique*, Baruch Spinoza, 1677 • *Charge d'âme*, Romain Gary, Gallimard, 1977 • **FILMS :** ☺ *Star Wars*, Georges Lucas, 1977 • *Mar adentro*, Alejandro Amenabar, 2004 • *Laurence Anyways*, Xavier Dolan, 2012 • *Her*, Spike Jonze, 2013 • *I Origins*, Mike Cahill, 2014 • **BANDES DESSINÉES :** ☺ *Naruto*, Masashi Kishimoto, Kana, 2002-2016

Le désir

« Malheur à qui n'a plus rien à désirer. » **JEAN-JACQUES ROUSSEAU,** *Julie ou la Nouvelle Héloïse*

• QUESTIONNEMENT

Que signifie désirer ? Désirer rend-il heureux ? Sommes-nous libres de désirer ? Peut-on choisir nos désirs ? Nos désirs peuvent-ils changer ? Peut-on se passer de désirer ?

• CE N'EST PAS

Le plaisir : la satisfaction immédiate, le contentement rapide.
Exemple : sous la chaleur de l'été, j'ai plaisir à manger une glace.

• C'EST DIFFÉRENT

Du besoin : ce qui est nécessaire à la survie. On ne peut pas faire autrement qu'y répondre, c'est donc un déterminisme du corps.
Exemple : nous avons besoin de boire ou de dormir pour continuer à vivre.

De la volonté : expression d'une force constante, de fermeté dans ses choix et de persévérance dans les actions afin d'obtenir un résultat à long terme – malgré l'insatisfaction à court terme.
Exemple : en vue d'obtenir mon bac, je choisis de réviser plutôt que de sortir avec mes amis.

• ÉTYMOLOGIE

Du latin *de*, qui signifie absence de, et *sidus*, qui signifie étoile. Littéralement c'est la nostalgie, le manque de l'astre perdu. C'est rechercher la réalisation ou la possession d'un objet que l'on convoite.

• DÉFINITION DOMINANTE

Le désir est une tension consciente visant une satisfaction qui passera par l'intermédiaire d'un objet que l'on suppose ou que l'on sait être la source du contentement. Les désirs sont différents en fonction des individus.

• CITATIONS / RÉFLEXIONS

« Ce qu'on n'a pas, ce qu'on n'est pas, ce dont on manque, voilà les objets du désir et de l'amour. » **PLATON, Le Banquet**

Lorsque je désire, est-ce une absence ou un trop-plein ? Puis-je contenter tous mes désirs ? Puis-je devenir esclave de mon désir ? Peut-on continuer de désirer ce que l'on a déjà ?

« La vie donc oscille, comme un pendule, de droite à gauche, de la souffrance à l'ennui. » **ARTHUR SCHOPENHAUER, Le Monde comme volonté et comme représentation**

Suivre nos désirs nous rendra-t-il heureux ? La réponse au désir est-elle satisfaisante ? Dois-je modérer mes désirs ? Comment puis-je les maîtriser ?

« Nous n'avons pas l'appétit ni le désir de quelque chose parce que nous jugeons qu'une chose est bonne ; mais au contraire nous jugeons qu'une chose est bonne parce que nous la désirons. » **BARUCH SPINOZA, Éthique**

Ai-je vraiment conscience de mes désirs ? Sommes-nous libres ou dépendants de nos désirs ? Mes désirs ne sont-ils pas liés aux désirs d'autrui ? Le désir me permet-il d'être moi-même ?

• RÉFÉRENCES

OUVRAGES : *Le Banquet*, Platon • *Éthique*, Baruch Spinoza, 1677 • *Dom Juan*, Molière, 1682 • *Les Nourritures terrestres*, André Gide, 1897 • **FILMS :** 😀 *Toy Story*, John Lasseter, 1995 • 😀 *Charlie et la chocolaterie*, Tim Burton, 2005 • *Eyes Wide Shut*, Stanley Kubrick, 1998 • *Under the Skin*, Jonathan Glazer, 2013 • **SÉRIES :** *Les Tudors*, Michael Hirst, 2007-2010 • **BANDES DESSINÉES :** *Le Marathon de Safia*, Quella-Guyot/Verdier, Proust éditions, 2008

Le devoir

« Le devoir est une série d'acceptations. » **VICTOR HUGO, Les Travailleurs de la mer**

• QUESTIONNEMENT
Que dois-je faire? Quel est mon devoir en tant qu'être humain? L'animal a-t-il des devoirs? En quoi assumer ses devoirs, c'est être libre?

• CE N'EST PAS
La nécessité : ce qui est vital, indispensable, essentiel, un besoin auquel on est forcé de répondre.
Exemple : dormir est nécessaire pour survivre, qu'on le désire ou non.

• C'EST DIFFÉRENT
De la contrainte : c'est ce qui s'impose à soi de l'extérieur, c'est une injonction, une loi à laquelle on obéit même si on ne veut pas le faire. La contrainte peut user de la force, de la coercition pour s'imposer.
Exemple : lorsqu'on conduit, on est contraint de s'arrêter au feu rouge même s'il n'y a personne et que l'on soit pressé, car c'est la loi et si on ne la respecte pas on risque d'être sanctionné.

De l'obligation : un engagement envers soi-même. C'est ce qu'on se prescrit à soi-même de faire. C'est une décision prise librement et qu'on applique par usage de la volonté.
Exemple : même si je peux être fatigué, je veux aller à mon cours de piano.

• ÉTYMOLOGIE
Du latin *debere*, être redevable.

• DÉFINITION DOMINANTE

Le devoir est ce qui s'impose à moi comme limite ou comme action. Je suis tenu de le respecter pour des raisons morales, sociales, religieuses, légales, professionnelles, personnelles.

• CITATIONS / RÉFLEXIONS

«Ceci est la somme du devoir : ne fais pas aux autres ce que tu ne voudrais pas qu'ils te fassent.» **MAHABHARATA**

Obéir au devoir, est-ce nécessaire? Pourquoi ne puis-je pas faire ce que je veux à autrui ? Est-ce mon devoir de protéger autrui?

«Le devoir : aimer ce que l'on prescrit à soi-même.» **JOHANN WOLFGANG VON GOETHE,** *Sentences en prose*

Qu'est-ce que cela signifie lorsqu'on dit : «J'ai fait mon devoir»? Puis-je aimer ce que je dois faire? Aimer ce que l'on prescrit à soi même, est-ce une contrainte ou une obligation?

«L'obéissance au devoir est une résistance à soi-même.» **HENRI BERGSON,** *Les Deux Sources de la morale et de la religion*

Obéir au devoir, n'est-ce pas obéir à soi? Faire son devoir est-il un sacrifice? Obéir à un devoir, est-ce dangereux? Doit-on fixer des limites au devoir?

• RÉFÉRENCES

OUVRAGES : *Métaphysique des mœurs*, Emmanuel Kant, 1796 • *Les Deux Sources de la morale et de la religion*, Henri Bergson, 1932 • *Eichmann à Jérusalem*, Hannah Arendt, Gallimard, 1963 • **FILMS :** *Batman : Dark Knight*, Christopher Nolan, 2008 • 🙂 *Fourmiz*, Eric Darnell/Tim Johnson, 1998 • **SÉRIES :** *24 heures chrono*, Joel Surnow/Robert Cochran, 2001 • **BANDES DESSINÉES :** 🙂 *Calvin et Hobbes*, Bill Watterson, Hors Collection, 1988-2005

L'émotion

« N'oublions pas que les petites émotions sont les grands capitaines de nos vies et qu'à celles-là nous obéissons sans le savoir. » **VINCENT VAN GOGH, Lettres à Théo**

• QUESTIONNEMENT

Qu'est-ce qu'une émotion? Quelles sont les émotions humaines? Que montrent-elles de nous? Les émotions sont-elles des signaux? Peut-on parler d'émotions positives ou négatives? Quelle différence entre émotion et sentiment? Pouvons-nous maîtriser nos émotions?

• CE N'EST PAS

La raison : faculté de mesurer, de connaître, de juger le réel de façon adéquate, de décider de son comportement.

Exemple : l'usage de la raison nous permet d'être raisonnable, c'est-à-dire d'agir dans la juste mesure et aussi de raisonner, c'est-à-dire d'avoir une réflexion logique fondée sur un raisonnement.

• C'EST DIFFÉRENT

D'un sentiment : expression affective d'une émotion continue que l'on éprouve envers un individu ou un objet extérieur.

Exemple : l'amitié est une affection durable et non une émotion affective passagère.

• ÉTYMOLOGIE

Du latin *movere* qui signifie mettre en mouvement.

• DÉFINITION DOMINANTE

L'émotion est un trouble intense de la conscience, souvent passager, déclenché par un événement inattendu. L'émotion est un jaillissement, de peur, de joie, de tristesse, de colère, de honte, elle provoque des réactions physiques comme la gorge nouée, des palpitations, des rougeurs, l'évanouissement. L'émotion peut se transformer et perdurer pour devenir sentiment ou passion.

• CITATIONS / RÉFLEXIONS

« L'émotion est le sentiment d'un plaisir ou d'un déplaisir actuel qui ne laisse pas le sujet parvenir à la réflexion. Dans l'émotion, l'esprit surpris par l'impression perd l'empire sur lui-même. » **EMMANUEL KANT, Anthropologie du point de vue pragmatique**

En quoi l'émotion est-elle un choc ? Pourquoi l'émotion nous domine-t-elle ? Pouvons-nous rester sans émotions ? Comment gérer nos émotions ?

« Les mots manquent aux émotions. » **VICTOR HUGO, Le Dernier Jour d'un condamné**

Que signifie se retrouver « sans voix » ? A-t-on besoin de tout dire ? Les mots expriment-ils adéquatement les émotions ?

« Une passion doit s'accompagner de quelque faux jugement pour être déraisonnable ; même alors ce n'est pas à proprement parler la passion qui est déraisonnable, c'est le jugement » **DAVID HUME, Traité de la nature humaine**

En quoi l'émotion est-elle l'expression de soi ? Peut-on juger nos émotions ?

• RÉFÉRENCES

OUVRAGES : *Les Passions de l'âme*, René Descartes, 1649 • *La Confession d'un enfant du siècle*, Alfred de Musset, 1836 • *L'Étranger*, Albert Camus, Gallimard, 1942 • *Esquisse d'une théorie des émotions*, Jean-Paul Sartre, Hermann, 1938 • *La Force des émotions*, François Lelord/Christophe André, Odile Jacob, 2001 • **FILMS :** *Un tramway nommé Désir*, Elia Kazan, 1951 • *Vol au-dessus d'un nid de coucou*, Milos Forman, 1975 • 😊 *Vice-Versa*, Pete Docter/Ronnie del Carmen, 2015 • **BANDES DESSINÉES :** *Un ciel radieux*, Jirô Taniguchi, Casterman, 2006

L'être humain

«On ne naît pas homme, on le devient.» **ÉRASME**

• QUESTIONNEMENT

Qu'est-ce qu'un humain? L'homme est-il un animal comme un autre? L'homme est-il un être singulier dans la nature? L'humain a-t-il changé au cours de l'histoire?

• CE N'EST PAS

Une machine : un outil ou un appareil capable de faire un travail ou de remplir des tâches sous la direction d'une opération humaine ou de manière autonome.

Exemple : une voiture ou un avion sont des machines qui facilitent le déplacement.

Un végétal : être vivant, fixé au sol, doué d'une sensibilité différente des animaux, se nourrissant essentiellement de sels minéraux et de gaz carbonique.

Exemple : une plante est un végétal qui utilise ses fleurs comme moyen de reproduction.

• CELA SE COMPOSE

De l'animal : être vivant, animé, doué de sensitivité et capable de se déplacer, qui agit selon un instinct et une intelligence plus ou moins développée selon l'espèce.

Exemple : plusieurs expériences prouvent que les éléphants et les pies se reconnaissent comme être singulier dans un miroir.

De la nature : la nature regroupe l'ensemble des règnes minéral, végétal et animal, dont l'humain. La nature a pour caractéristique d'offrir, par les gènes, les lois de l'hérédité. Dès la naissance, certains comportements sont fixés, on parle de comportements innés.

Exemple : dans la nature, le bébé tortue nage instinctivement et retrouve l'océan ; le bébé humain, lui, est incapable de survivre tout seul.

De la culture : ce qui est acquis à travers l'éducation, par un héritage culturel transmis de génération en génération au sein d'une collectivité. La culture transforme la nature humaine. Ainsi l'homme naît naturellement «inachevé» et apprend des mœurs, des croyances, des modes de vie particuliers qui varient selon les époques et les lieux.

Exemple : les dieux sont différents selon les cultures : sainte Trinité des chrétiens, Allah chez les musulmans, Inti le dieu-soleil des Incas, Brahma, Vishnu et Shiva chez les hindouistes...

• ÉTYMOLOGIE

Du latin *homo* qui signifie homme, être humain.

• DÉFINITION DOMINANTE

L'humain est dans le règne animal un mammifère qui appartient à l'espèce humaine. La spécificité d'*Homo sapiens* est difficile à définir : nombre d'animaux utilisent des outils, d'autres possèdent une forme de langage, etc. Doué de raison, l'humain a un langage élaboré particulier et des aptitudes à l'introspection, l'abstraction et la spiritualité.

• CITATIONS / RÉFLEXIONS

« L'homme n'est rien d'autre que ce qu'il se fait. » **JEAN-PAUL SARTRE,** *L'existentialisme est un humanisme*

Comment devient-on humain ? Un humain peut-il accomplir des actes inhumains ? Peut-on dire c'est dans sa « nature » ?

« Il n'est pas plus naturel ou pas moins conventionnel de crier dans la colère ou d'embrasser dans l'amour que d'appeler une table une table. (…) Il est impossible de superposer chez l'homme une première couche de comportements que l'on appellerait "naturels" et un monde culturel ou spirituel fabriqué. Tout est fabriqué et naturel chez l'homme. » **MAURICE MERLEAU-PONTY,** *Phénoménologie de la perception*

En quoi l'humain est-il un « être naturel » ? En quoi l'humain est-il un « être culturel » ? Par exemple, pleurer, est-ce une attitude féminine ? La culture peut-elle être déshumanisante ?

« Comme tout organisme vivant, l'être humain est génétiquement programmé, mais il est programmé pour apprendre. (…) Ce qui est actualisé se construit peu à peu pendant la vie par l'interaction avec le milieu. » **FRANÇOIS JACOB,** *Le Jeu des possibles*

Un homme peut-il changer ? En quoi l'environnement naturel comme l'entourage familial ou culturel façonne-t-il l'homme ? Comment l'être humain modifie-t-il son comportement ?

• RÉFÉRENCES

OUVRAGES : *Humain, trop humain,* Friedrich Nietzsche, 1878 • *L'existentialisme est un humanisme,* Jean-Paul Sartre, 1946 • *Pourquoi j'ai mangé mon père,* Roy Lewis, Actes Sud, 1990 • *La Guerre du feu,* Jean-Jacques Annaud, 1981 • ☺ *Adama,* Simon Rouby, 2015 • **SÉRIES :** *Real Humans : 100 % humain,* Harald Hamrell/Levan Akin, 2013-2014 • **BANDES DESSINÉES :** ☺ *Le Grand Pouvoir du Chninkel,* Van Hamme/Rosinski, Casterman, 1988

La liberté

« *L'obéissance à la loi que l'on s'est prescrite est liberté.* » **JEAN-JACQUES ROUSSEAU,** *Du contrat social*

● QUESTIONNEMENT
Puis-je être libre comme l'air ? Être libre, est-ce faire tout ce que je désire ? La liberté est-elle une absence totale de contraintes ?

● CE N'EST PAS
La servitude : état d'un être qui est privé de son autonomie, qui est assujetti à un pouvoir, à une autorité supérieure qui le domine.
Exemple : l'esclave est un individu qui n'est pas libre de choisir, il est sous le joug d'un maître qui l'utilise à sa guise comme un objet.

● C'EST DIFFÉRENT
De la licence : excès de liberté. On pense que tout est permis ou possible par une illusoire absence d'obligation, sans qu'aucun obstacle intérieur ou extérieur ne nous entrave.
Exemple : l'enfant désirant jouer qui fait un caprice pour ne pas aller se coucher.

Du déterminisme : absence de liberté. Conception selon laquelle toute pensée ou action est le résultat d'une cause qui nous amène à agir nécessairement d'une certaine façon.
Exemple : Spinoza donne l'exemple de la pierre qui roule suite à un mouvement extérieur qui a entraîné son propre mouvement.

● ÉTYMOLOGIE
Vient du latin *liber*, celui qui n'est pas esclave.

• DÉFINITION DOMINANTE

La liberté, c'est le fait de n'être ni prisonnier ni esclave, de pouvoir jouir d'une liberté de mouvement, d'expression, de penser sans être contraint mais en respectant celle d'autrui ; c'est pouvoir être autonome, c'est-à-dire être capable de s'imposer à soi-même des règles de conduite.

• CITATIONS / RÉFLEXIONS

« Ceux mêmes qui ont les plus faibles âmes pourraient acquérir un empire très absolu sur toutes passions. » **RENÉ DESCARTES,** *Les Passions de l'âme*

Sommes-nous toujours libres de dire ce que nous pensons ? La liberté est-elle une obéissance à la raison ? Obéir à des lois est-il contraire à la liberté ? Choisir, est-ce renoncer ?

« Les hommes se croient libres pour cette seule cause qu'ils sont conscients de leurs actions et ignorants des causes par lesquelles ils sont déterminés. » **BARUCH SPINOZA,** *Lettre à Schuller*

Suis-je libre d'avoir peur ou d'avoir soif ? L'ignorant est-il libre ? Peut-on se libérer de ce qui nous détermine ? Prendre conscience de nos déterminismes nous libère-t-il ?

« L'homme est condamné à être libre. » **JEAN-PAUL SARTRE,** *L'existentialisme est un humanisme*

Pourquoi est-il difficile d'être libre ? Sommes-nous obligés de choisir ? La liberté peut-elle exister sans la responsabilité ? Est-ce s'empêcher soi-même ? Apprend-on à être libre ?

• RÉFÉRENCES

OUVRAGES : *Gorgias*, Platon • *Les Passions de l'âme*, René Descartes, 1649 • *Caligula*, Albert Camus, Gallimard, 1944 • *L'existentialisme est un humanisme*, Jean-Paul Sartre, 1946 • **FILMS :** *Bienvenue à Gattaca*, Andrew Niccol, 1997 • *Minority Report*, Steven Spielberg, 2002 • 😊 *Madagascar*, Eric Darnell/Tom McGrath, 2005 • *The Box*, Richard Kelly, 2009 • *Chronicle*, Josh Trank, 2012 • **SÉRIES :** *Rectify*, Ray McKinnon, 2014-2016 • **BANDES DESSINÉES :** *Sharaz-De*, Sergio Toppi, Mosquito, 2013

La morale

«Conscience! Conscience! (...) juge infaillible du bien et du mal. (...) Mais ce n'est pas assez que ce guide existe, il faut savoir le reconnaître et le suivre.»
JEAN-JACQUES ROUSSEAU, *La Profession de foi du vicaire savoyard*

• QUESTIONNEMENT

Que dois-je faire? Comment éclairer et guider mes actes? Fait-on le bien par crainte de la loi? par prudence? Ne dois-je pas faire à autrui ce que je n'aimerais pas qu'on me fasse?

• CE N'EST PAS

L'amoralité : absence de morale. Une attitude amorale conduit à agir sans se référer à des valeurs de Bien et de Mal.

Exemple : nous ne pouvons pas dire que c'est mal lorsqu'un chat tue un oiseau, car son geste est amoral, produit par instinct et sans conscience des conséquences pour l'oiseau.

L'immoralité : conduite qui va à l'encontre de la morale, du Bien; ce qui est mal.

Exemple : on considère que mentir est un acte immoral.

• C'EST DIFFÉRENT

De l'éthique : le terme «éthique» est employé aujourd'hui pour évoquer une sagesse pratique permettant de faire des choix concrets adaptés à la complexité de la réalité.

Exemple : mentir, c'est mal ; cependant mentir à un criminel pour protéger sa future victime ce n'est pas mauvais.

• ÉTYMOLOGIE

Du latin *mores* qui signifie mœurs.

• DÉFINITION DOMINANTE

La morale est un ensemble de normes propres à un groupe ou société. Elle engendre une représentation théorique du Bien et du Mal, fixant des conduites à suivre ou à rejeter par un jugement de valeur.

• CITATIONS / RÉFLEXIONS

«Nous aurions souvent honte de nos plus belles actions, si le monde voyait tous les motifs qui les produisent.» **FRANÇOIS DE LA ROCHEFOUCAULD**
Pourquoi faisons-nous le bien? Est-ce une obligation de faire le bien? Ma bonne action est-elle désintéressée? La morale est-elle religieuse?

«Une seule et même chose en effet peut en même temps être bonne ou mauvaise ou même indifférente. La musique, par exemple, est bonne pour un mélancolique qui se lamente sur ses maux; pour un sourd, elle n'est ni bonne ni mauvaise.» **BARUCH SPINOZA, *Éthique***
D'où vient la morale? Peut-on savoir ce qui est absolument bien et absolument mal? Bien penser suffit-il à être moral? La morale peut-elle se passer d'exemples? Pourquoi faire la morale à autrui?

«Jouis et fais jouir, sans faire de mal ni à toi, ni à personne, voilà je crois, toute la morale.» **NICOLAS DE CHAMFORT, *Maximes et pensées***
Ce qui me donne du plaisir est-il toujours bien? Puis-je avoir de la joie tout seul? Ai-je conscience du mal que je peux faire? Suis-je méchant volontairement? Le but de la morale n'est-il pas le bonheur?

• RÉFÉRENCES

OUVRAGES : *Éthique à Nicomaque*, Aristote • *La Généalogie de la morale*, Friedrich Nietzsche, 1887 • *Les Deux Sources de la morale et de la religion*, Henri Bergson, 1932 • *Les Justes*, Albert Camus, Gallimard, 1950 • **FILMS :** 😊 *Pinocchio*, Hamilton/ Sharpsteen, 1940 • *L'Associé du diable*, Taylor Hackford, 1997 • 😊 *Kirikou et la Sorcière*, Michel Ocelot, 1998 • *Trilogie du Seigneur des anneaux*, Peter Jackson, 2001-2003 • *After the Dark*, John Huddles, 2013 • **BANDES DESSINÉES :** 😊 *Rahan*, intégrale 1, Chéret/Lecureux, Soleil, 1998

La mort

«Elle est un non-sens qui donne un sens à la vie.» **VLADIMIR JANKÉLÉVITCH,**
La Mort

• QUESTIONNEMENT

Qu'est-ce que la mort? Est-ce la fin de la vie? Le début d'une autre? Un néant
ou une renaissance? Une étape, un passage? Vaut-il mieux être mortel ou
immortel?

• CE N'EST PAS

La naissance : le commencement de la vie pour un être vivant indépendam-
ment de l'organisme procréateur.

Exemple : après la naissance, la progéniture des mammifères a besoin de ses semblables pour se développer.

L'immortalité : état d'un être vivant qui ne pourrait pas mourir pour une
période de temps indéfinie, voire éternelle.

Exemple : selon la légende, les vampires sont des êtres immortels qui ne connaissent
pas la décrépitude du temps.

• C'EST DIFFÉRENT

De la vie : fait d'exister, de participer aux phénomènes biologiques comme
respirer boire, manger, se reproduire, etc.

Exemple : quand je dors, mon corps au repos, je continue à vivre car je respire et mon
cœur bat sans que j'en sois conscient.

De la vieillesse : dernière période de la vie, caractérisée par une usure des
fonctions physiques et intellectuelles marquant l'évolution d'un organisme
vivant vers la mort.

Exemple : En Afrique on dit que «quand un vieillard meurt c'est une bibliothèque qui
brûle», car disparaît avec lui toute une connaissance et une expérience de vie.

• ÉTYMOLOGIE

Vient du latin *mors*, cessation de la vie.

• DÉFINITION DOMINANTE

La mort reste le mystère métaphysique de l'existence ; ainsi nous ne pouvons donner comme définition que ce que nous constatons physiquement, c'est-à-dire une cessation, une fin complète et définitive de la vie.

• CITATIONS / RÉFLEXIONS

« Philosopher c'est apprendre à mourir. » **PLATON, Phédon**
La mort fait-elle peur ? Faut-il ignorer la mort ? La mort a-t-elle un sens ?

« L'homme libre ne pense à rien moins qu'à la mort et sa sagesse est une méditation non de la mort mais de la vie. » **BARUCH SPINOZA, Éthique**
Penser la mort nous apprend-il à vivre ? Sans la mort, y aurait-il une morale ? Est-ce notre mort ou la mort des autres qui nous attriste ?

« La mort n'est rien pour nous. (…) Tant que nous existons la mort n'est pas, et quand la mort est là nous ne sommes plus. » **ÉPICURE, Lettre à Ménécée**
Puis-je faire l'expérience de la mort ? La mort est-elle une douleur ou un soulagement ? Est-ce la fin du temps ou l'éternité ? Mourir, est-ce revenir à l'état précédant l'existence ?

• RÉFÉRENCES

OUVRAGES : *Phédon*, Platon • *Lettre à Ménécée*, Épicure • *La Mort heureuse*, Albert Camus, Gallimard, 1971 • **FILMS :** ☺ *Le Tombeau des lucioles*, Isao Takahata, 1988 • *The Fountain*, Darren Aronofsky, 2006 • *Au-delà*, Clint Eastwood, 2010 • **SÉRIES :** *Six Feet Under*, Alan Ball, 2001 • **BANDES DESSINÉES :** *Maus*, Art Spiegelman, Flammarion, 1987

La religion

« La religion est l'opium du peuple. » **KARL MARX**

• QUESTIONNEMENT

Pourquoi la religion est-elle un phénomène universel ? Croire, est-ce savoir ? Puis-je vérifier l'existence de Dieu ? Croire nous aide-t-il à vivre ? Toutes les religions prônent-elles l'existence de Dieu ? À quoi servent les religions ? Pourquoi existe-t-il plusieurs religions ? Pourquoi les religions génèrent-elles de la violence ?

• CE N'EST PAS

L'athéisme : nier l'existence de(s) dieu(x) et penser qu'il n'y a pas de vie après la mort.

Exemple : l'athée pense que la seule vie possible est celle que l'on vit maintenant et que Dieu est une invention humaine.

• C'EST DIFFÉRENT

De l'agnosticisme : doctrine qui considère l'existence ou non de Dieu inaccessible à l'esprit humain et assume une complète ignorance au sujet de la nature profonde, de l'origine et de la destinée de l'univers et de l'homme.

Exemple : Dieu a-t-il créé l'homme à son image ou est-ce l'homme qui a créé Dieu à son image ? L'agnostique ne prend pas partie, ne tranche pas et accepte le mystère.

De la superstition : croyance irrationnelle qui est un mélange d'ignorance, de désirs et de craintes.

Exemple : croire qu'après minuit il faut rentrer chez soi à reculons afin de ne pas inviter les esprits malfaisants à entrer.

• ÉTYMOLOGIE

Religion vient de *religare*, c'est-à-dire qui relie, qui unit Dieu aux hommes ou les hommes entre eux.

• DÉFINITION DOMINANTE

La religion est un phénomène très ancien et quasiment universel, un ensemble de croyances et de rituels, qui structure les relations entre les humains, selon une foi en un invisible qui les dépasse.

• CITATIONS / RÉFLEXIONS

✍ *« Les hommes, pour la plupart, ne tiennent à leur religion que par habitude. (…) Ils suivent les routes que leurs pères leur ont tracées. »* **PAUL HENRI THIRY D'HOLBACH, Le Christianisme dévoilé**

Dieu est-il une croyance ou un savoir ? Avoir une religion, est-ce naturel ou culturel ? Est-ce un choix personnel ?

✍ *« Pourquoi donc la mer était-elle agitée ? (…) Et ils ne cesseront ainsi de vous interroger sur les causes des causes, jusqu'à ce que vous vous soyez réfugié dans la volonté de Dieu, cet asile de l'ignorance. »* **BARUCH SPINOZA, Éthique**

Est-ce la faiblesse de l'homme qui fait croire en la puissance d'un dieu ? Raisonner et croire, est-ce compatible ? La raison doit-elle considérer toute croyance comme superstition ?

✍ *« Le fanatisme est un monstre qui ose se dire le fils de la religion. »* **VOLTAIRE, Traité sur la tolérance.**

✍ *« Dieu n'a pas de religion. »* **GANDHI**

En quoi un croyant et un fanatique se différencient-ils ? Comment se manifeste l'appartenance à une religion ? Une société peut-elle exister sans religion ?

• RÉFÉRENCES

OUVRAGES : *Traité théologico-politique*, Baruch Spinoza, 1670 • *L'Avenir d'une illusion*, Sigmund Freud, 1927 • *Petit traité d'histoire des religions*, Frédéric Lenoir, Plon, 2008 • *Croyance*, Jean-Claude Carrière, Odile Jacob, 2015 • **FILMS :** *Le Nom de la rose*, Jean-Jacques Annaud, 1986 • 😊 *Persépolis*, Vincent Paronnaud/Marjane Satrapi, 2007 • *Agora*, Alejandro Amenábar, 2009 • *Des hommes et des dieux*, Xavier Beauvois, 2010 • **SÉRIES :** *Ainsi soient-ils*, David Elkaïm, 2012 • **BANDES DESSINÉES :** 😊 *Le Chat du rabbin*, Joann Sfar, 2002

La société

« *Le besoin de société, né du vide et de la monotonie de leur vie intérieure, pousse les hommes les uns vers les autres. Mais leurs nombreuses manières d'être antipathiques et leurs insupportables défauts les dispersent à nouveau.* »
ARTHUR SCHOPENHAUER, *Parerga et paralipomena*

• QUESTIONNEMENT

Qu'est-ce que la société ? Qu'est-ce que vivre en société ? L'homme est-il fait pour vivre en société ?

• CE N'EST PAS

L'individu : être humain unique qui a ses caractéristiques propres, son physique, sa personnalité, etc.

Exemple : pour Schopenhauer, les individus sont comme des porcs-épics qui l'hiver cherchent la juste place en se rapprochant de leurs semblables pour se protéger du froid et de la solitude, tout en s'éloignant pour se préserver de leurs pics blessants.

• C'EST DIFFÉRENT

De la famille : groupe d'individus qui ont des liens de parenté par le sang ou par l'alliance.

Exemple : pour l'être humain, le groupe est essentiel car le « petit d'homme » a besoin de ses congénères pour survivre.

L'État : institution politique qui incarne l'autorité supérieure organisant la vie en société.

Exemple : en France, le président de la République exerce la fonction la plus haute de l'État ; il est appelé le chef de l'État.

• ÉTYMOLOGIE

Du latin *societas/socius* qui signifie compagnon, associé.

• DÉFINITION DOMINANTE

La société est un groupe d'individus fondé sur des relations d'interdépendance, organisé par des règles communes. Les membres sont liés socialement par une histoire, une culture, une langue partagées.

• CITATIONS / RÉFLEXIONS

✐ *«L'homme est par nature un animal politique, et celui qui ne peut vivre en société est soit une brute soit un dieu.»* **ARISTOTE, Politiques**
L'homme peut il vivre en dehors de la société? L'homme est-il naturellement sociable? Les liens sociaux sont-ils naturels ou culturels?

✐ *«Ce qui donne naissance à une cité, c'est l'impuissance où se trouve chaque individu de se suffire à lui-même, et le besoin qu'il éprouve d'une foule de choses.»* **PLATON, La République**
Qu'apporte aux hommes la vie en société? La société permet-elle aux hommes de mieux vivre? L'homme a-t-il besoin des autres? À quoi servent les échanges entre membres d'une société?

✐ *«Insociable sociabilité des hommes, c'est-à-dire leur tendance à entrer en société, tendance cependant liée à une constante résistance à le faire qui menace sans cesse de scinder cette société.»* **EMMANUEL KANT, Idée d'une histoire universelle au point de vue cosmopolitique**
Pourquoi est-ce difficile de vivre en société? La société est-elle une contrainte? La société nous détermine-t-elle? La société nous permet-elle d'être libres?

• RÉFÉRENCES

OUVRAGES : *La République*, Platon • *Politiques*, Aristote • *Essai sur le don*, Marcel Mauss, 1924 • *1984*, George Orwell, Gallimard, 1950 • *Les Structures élémentaires de la parenté*, Claude Lévi-Strauss, 1949 • **FILMS :** *Into the Wild*, Sean Penn, 2007 • *La Vague*, Dennis Gansel, 2008 • 😊 *Hunger Games*, Gary Ross, 2012 • **SÉRIES :** *Lost*, J.J. Abrams, 2005-2010 • **BANDES DESSINÉES :** *L'Essai*, Nicolas Debon, Dargaud, 2015

Le temps

« Qu'est-ce donc que le temps ? Quand on ne me le demande pas, je le sais,
mais dès qu'on me le demande et que je tente de l'expliquer, je ne le sais plus. »
SAINT AUGUSTIN, *Les Confessions*

• QUESTIONNEMENT
Qu'est-ce que le temps ? De quoi se compose-t-il ? Le temps fuit-il tout le
temps ? Quel impact le temps a-t-il sur nous ?

• CE N'EST PAS
L'espace : étendue plus ou moins grande, en trois dimensions, dans laquelle
il est possible de se déplacer.
Exemple : dans son histoire l'homme a progressé dans la maîtrise de ses déplacements
dans l'espace. Par des moyens sophistiqués, il voyage sur terre, mer, ciel et espace.

• C'EST DIFFÉRENT
De la durée : le temps tel qu'il est vécu par la conscience de l'individu. C'est
un temps subjectif et qui n'a pas la même mesure pour chacun.
Exemple : une heure d'attente et d'ennui chez le dentiste nous paraît bien plus longue
qu'une heure à s'amuser avec ses amis.

De l'éternité : situation hors du temps qui n'a ni début ni fin ; en cela elle
n'est pas mesurable.
Exemple : « Hors du temps il n'y a rien, il y a l'éternité et il y a le néant. (...) S'il y a un
Dieu, il est hors du temps. » Jean d'Ormesson

• ÉTYMOLOGIE
Du latin *tempus*.

• DÉFINITION DOMINANTE

Le temps est immatériel ; on peut le mesurer mais jamais le retenir. Le temps peut apparaître comme une ligne où le présent s'écoule entre le passé dépassé et le futur à venir ou comme une roue dans un mouvement cyclique qui se répète.

• CITATIONS / RÉFLEXIONS

« La seule loi de l'univers qui ne soit pas soumise au changement est que tout change, tout est impermanent. » **BOUDDHA**

Qu'est-ce que change le temps ? Pouvons nous rester toujours les mêmes ? Le temps détruit-il tout ? Le temps est-il un allié ou un ennemi ?

« Le propre du temps est de faire apparaître de l'inconnu et de faire disparaître du connu. » **JEAN D'ORMESSON, C'était bien**

Pourquoi sommes-nous nostalgiques du passé ? Pourquoi sommes-nous impatients de l'avenir ? Le passé et l'avenir existent-ils ? Pouvons-nous dire que le temps est notre maître ?

« La vraie générosité envers l'avenir consiste à tout donner au présent. » **ALBERT CAMUS, L'Homme révolté**

Pouvons-nous vivre le temps présent ? Pourquoi est-ce difficile ? En quoi penser à l'avenir modifie le présent ? Puis-je prévoir, anticiper l'avenir ?

• RÉFÉRENCES

OUVRAGES : *Timée*, Platon • *L'Intuition de l'instant*, Gaston Bachelard, 1932 • *L'Évolution des idées en physique*, Albert Einstein/Leopold Infeld, 1936 • *Glissement de temps sur Mars*, Philip K. Dick, Robert Laffont, 1981 • **FILMS :** 😀 *Les Maîtres du temps*, René Laloux, 1982 • 😀 *Retour vers le futur*, Robert Zemeckis, 1985 • *L'Effet papillon*, Eric Bress, 2004 • *L'Étrange Histoire de Benjamin Button*, David Fincher, 2009 • *Mr Nobody*, Jaco Van Dormael, 2009 • *Prédestination*, Michael et Peter Spierig, 2014 • **SÉRIES :** *Journeyman*, Kevin Falls, 2007 • **BANDES DESSINÉES :** *La Couronne d'Ogotaï* (Thorgal, t. 21), Rosinski/Van Hamme, Le Lombard, 1995

Le travail

« J'entends travail libre, effet de puissance à la fois source de puissance. Encore une fois, non point subir mais agir. » **ALAIN, *Propos sur le bonheur***

• QUESTIONNEMENT

Qu'est-ce que le travail ? Pourquoi travaille-t-on ? Est-ce nécessaire de travailler ? Peut-on être heureux sans jamais travailler ?

• CE N'EST PAS

Le loisir : temps libre, vacant en dehors des occupations ordinaires et qui nous permet de nous distraire, de penser, de méditer...

Exemple : jouer au ballon, aux jeux vidéo, lire, dessiner, discuter, etc.

L'oisiveté : absence d'occupation, inactivité.

Exemple : lorsque je tourne en rond et que je ne sais pas quoi faire, je m'ennuie.

• C'EST DIFFÉRENT

D'une œuvre : c'est la création d'un artiste qui a un commencement, l'idée, et une fin, le produit fini.

Exemple : d'un bloc brut de marbre Michel-Ange a créé la sculpture *David*.

D'une technique : ensemble des procédés pratiques, des savoir-faire méthodiques, mis en œuvre dans une discipline, un métier, un art.

Exemple : la péridurale est une technique médicale d'anesthésie que l'on utilise lors de l'accouchement.

• ÉTYMOLOGIE

Vient du latin *tripalium*, un instrument de torture.

• DÉFINITION DOMINANTE

Le travail est une activité exigeant un effort, qui vise à transformer des éléments naturels, à créer ou produire de nouveaux biens, de nouvelles idées. L'être humain travaille le plus souvent pour obtenir une rémunération qui lui permet de subvenir à ses besoins.

• CITATIONS / RÉFLEXIONS

« Le travail est de prime abord un acte qui se passe entre l'homme et la nature. (…) En même temps qu'il agit par ce mouvement sur la nature extérieure et la modifie, il modifie sa propre nature, et développe les facultés qui sommeillent. » **KARL MARX, Le Capital**

Le travail est-il bénéfique à l'homme ? Le travail dénature-t-il les hommes ? En quoi le travail permet-il aussi d'accomplir un travail sur soi ?

« Et cependant le travail, en tant que voie vers le bonheur, est peu apprécié des hommes. » **SIGMUND FREUD, Le Malaise dans la civilisation**

Le travail fait-il le bonheur ou le malheur de l'homme ? Le travail, est-ce pénible ou plaisant ? Que gagne-t-on à travailler ? Le travailleur ne perd-il pas sa vie à la gagner ?

« Choisissez un travail que vous aimez et vous n'aurez pas à travailler un seul jour de votre vie. » **CONFUCIUS**

Est-ce normal de ne pas aimer son travail ? Est-il facile de choisir son travail ? Aimer son travail, est-ce encore travailler ?

• RÉFÉRENCES

OUVRAGES : *Le Capital*, Karl Marx, 1872 • *Propos sur le bonheur*, Alain, Gallimard, 1925 • **FILMS :** 😊 *Les Temps modernes*, Charlie Chaplin, 1936 • 😊 *Le Roi et l'Oiseau*, Paul Grimault, 1980 • **SÉRIES :** *Trepalium*, Antarès Bassis/Sophie Hiet, 2016 • **BANDES DESSINÉES :** *Va'a : une saison aux Tuamotu*, Flao/Troubs, Futuropolis, 2014

La vérité

« La foi en la vérité commence avec le doute au sujet de toutes les vérités auxquelles on croyait jusqu'à présent. » **FRIEDRICH NIETZSCHE,** *Humain, trop humain*

• QUESTIONNEMENT

La vérité est-elle évidente ? Quel est son lien avec la réalité ? Y a-t-il une ou plusieurs vérités ?

• CE N'EST PAS

L'opinion : manière de penser sur une question ou un sujet, jugement personnel qui n'est pas forcément juste.

Exemple : « le requin est un animal mangeur d'hommes » est une opinion fausse car seulement une dizaine d'espèces (sur plus de 500) sont dangereuses.

• C'EST DIFFÉRENT

De l'erreur : fait de se tromper. C'est une méprise de bonne foi, elle est commise sans volonté délibérée de changer la vérité.

Exemple : le 25 décembre n'est pas le jour de la naissance de Jésus-Christ. Il correspond à la fête *Sol invictus* de l'Empire romain. Nous perpétuons la tradition sans savoir que c'est une erreur historique.

Du mensonge : produit par quelqu'un qui connaît la vérité, mais la modifie volontairement dans le but de tromper autrui. Il peut moralement et juridiquement être une faute.

Exemple : lorsqu'on triche à un jeu de cartes, on cache la vérité délibérément.

De l'illusion : croyance dérivée des désirs humains, elle renforce l'illusionné dans son égarement subjectif et l'empêche d'entendre des arguments objectifs.

Exemple : croire que tous ses amis sur Facebook sont de véritables amis.

- **ÉTYMOLOGIE**

Vient du latin *veritas*.

- **DÉFINITION DOMINANTE**

La vérité est de nature abstraite. Elle est un jugement conforme à la réalité, une correspondance entre les pensées, les mots et le réel. Cependant cette correspondance peut être fausse et altérée par une erreur de perception (un bâton plongé dans l'eau semble se plier) ou d'interprétation (des larmes peuvent être de tristesse ou de joie).

- **CITATIONS / RÉFLEXIONS**

« L'homme est la mesure de toute chose. » **PROTAGORAS**
Peut-on dire « à chacun sa vérité » ? Ce qui est vrai ne doit-il pas l'être pour tous ? Pourquoi est-il important de douter ? Peut-on se mentir à soi-même ?

« La vérité n'est pas à notre portée. » **BLAISE PASCAL,** *Pensées*
Est-il possible d'atteindre la vérité ? Raisonner y suffit-il ? En quoi des arguments et des preuves sont-ils nécessaires ?

« Quiconque pense commence toujours par se tromper (…) et toutes nos vérités, sans exception, sont des erreurs redressées. » **ALAIN,** *Vigiles de l'esprit*
Pourquoi l'erreur est-elle humaine ? Les apparences sont-elles trompeuses ? En quoi l'interprétation d'un fait peut-elle nous induire en erreur ?

- **RÉFÉRENCES**

OUVRAGES : *Théétète*, Platon • *Critique de la raison pure*, Emmanuel Kant, 1787 • *Chacun sa vérité*, Luigi Pirandello, 1916 • *1984*, George Orwell, Gallimard, 1950 • **FILMS :** *The Truman Show*, Peter Weir 1998 • ☺ *Big Fish*, Tim Burton, 2004 • *Le Ruban blanc*, Michael Haneke, 2009 • **SÉRIES :** *Lie to Me*, Samuel Baum, 2009 • **BANDES DESSINÉES :** *L'Enfant des étoiles* (Thorgal, t. 7), Rosinski/Van Hamme, Le Lombard, 1988

La violence

« *La violence, une force faible.* » **VLADIMIR JANKÉLÉVITCH,** *Le Pur et l'Impur*

• QUESTIONNEMENT

Qu'est-ce que la violence ? La violence n'est-elle que physique ? La violence est-elle toujours mauvaise ? La violence n'est-elle pas un aveu de faiblesse ? Comment répondre à la violence ?

• CE N'EST PAS

Le respect : attitude de considération, d'estime envers une personne, une règle, une loi que l'on juge valable et qui nous amène à l'appliquer ou ne pas lui porter atteinte.
Exemple : je cesse de téléphoner dans le train si cela gêne mes voisins.

La non-violence : méthode d'action qui s'abstient de recourir à la violence pour répondre à la violence.
Exemple : le Mahatma Gandhi a utilisé cette pratique pour décoloniser son pays, l'Inde, du pouvoir anglais.

• C'EST DIFFÉRENT

Du conflit : affrontement entre personnes ou groupes, où chacun s'efforce de faire triompher ses idées.
Exemple : la lutte menée pour défendre sa cause n'est pas nécessairement violente, elle peut prendre la voie du dialogue par l'échange d'arguments ou celle des urnes.

• ÉTYMOLOGIE

La violence a une double étymologie latine : *violentia*, qui signifie abus de la force, et *violare*, qui signifie violer, « agir contre » (on dit qu'on viole une loi quand on ne la respecte pas).

• DÉFINITION DOMINANTE

La violence est toute expression d'une puissance intense, agressive, excessive, démesurée qui impacte autrui et soi.

• CITATIONS / RÉFLEXIONS

«L'homme est un loup pour l'homme.» **THOMAS HOBBES, Léviathan**
L'homme est-il violent par nature? Le conflit entre humains est-il naturel ou culturel? Peut-il être bénéfique?

«L'État contemporain revendique avec succès pour son propre compte le monopole de la violence physique légitime. (...) Celui-ci passe donc pour l'unique source du droit à la violence.» **MAX WEBER, Le Savant et le Politique**
Qui a le droit d'être violent? La société nous protège-t-elle de la violence d'autrui? La société participe-t-elle à produire de la violence?

«La violence se donne toujours pour une contre-violence, c'est-à-dire pour une riposte à la violence de l'autre.» **JEAN-PAUL SARTRE, Critique de la raison dialectique**
Sommes-nous responsables de la violence d'autrui? Est-il légitime de répondre à la violence par la violence? La violence peut-elle être dépassée?

• RÉFÉRENCES

OUVRAGES : *Léviathan,* Thomas Hobbes, 1651 • *Justine ou les Malheurs de la vertu,* Marquis de Sade, 1791 • *Frankenstein,* Mary Shelley, 1818 • *La Violence et le Sacré,* René Girard, 1972 • **FILMS :** *Gandhi,* Richard Attenborough, 1982 • *Orange mécanique,* Stanley Kubrick, 1971 • *American History X,* Tony Kaye 1998 • *Elephant,* Gus Van Sant, 2003 • 😊 *Entre les murs,* Laurent Cantet, 2008 • 😊 *Marie et Max,* Adam Eliot, 2009 • *Only God Forgives,* Nicolas Winding Refn, 2013 • **SÉRIES :** *Rome,* John Milius, 2005 • **BANDES DESSINÉES :** *Murena,* Dufaux/Delaby, Dargaud, 1997

Épilogue

L'expérience de cette pratique de l'attention et d'ateliers philosophiques avec les enfants me paraît essentielle pour promouvoir l'exigence éducative. La méditation permet aux enfants de s'intérioriser, de se poser, de gérer leurs émotions et de mieux se concentrer. Les ateliers philo entraînent à la maîtrise du langage, donnent des repères constructifs pour penser, organisent des discussions avec rigueur, mais non sans humour ! Ils forment à la lucidité et au jugement aiguisé. Font la chasse à la facilité. Imposent de se poser des questions vives. Favorisent le plaisir de l'échange. Faire de la philo avec les enfants est une entreprise de longue haleine, à mener avec régularité, modestie et persévérance. Mais les résultats sont déjà extraordinaires sur quelques mois !

Aussi je me suis vite posé cette question : comment faire durer cette expérience et la rendre possible dans toutes les écoles ? Par ailleurs, lors de l'année passée à préparer, vivre et raconter ces ateliers, j'ai été contacté par plusieurs personnes ou associations ayant entendu parler de mon projet, qui menaient de leur côté des ateliers philo ou des activités méditatives. J'ai alors réalisé qu'il existait un peu partout dans la francophonie, comme dans le monde anglo-saxon, de nombreuses expériences qui mériteraient d'être connues, soutenues, développées.

L'idée m'est alors venue de créer une fondation, sous l'égide de la Fondation de France, qui aurait plusieurs missions :

– Fédérer et donner une visibilité, à travers notamment un site Internet, à ces initiatives éparses.

– Soutenir financièrement celles qui en ont besoin.

– Recenser les animateurs d'ateliers philo ou de pratique de l'attention pour que les enseignants ou les directeurs d'école puissent les solliciter.

– Ouvrir et financer une école de formation d'animateurs et de formateurs d'ateliers méditation-philo.

Lorsque j'ai rencontré les responsables de la Fondation de France, ils m'ont présenté Martine Roussel-Adam, également désireuse de promouvoir le savoir-être et le vivre-ensemble à travers l'éducation. Après avoir créé et développé des entreprises, Martine a fondé l'association Chemins d'Enfances, qui œuvre depuis près de dix ans dans les programmes d'éducation pour les enfants en vulnérabilité. Elle est également très impliquée dans l'économie sociale et solidaire, en tant que présidente du Fonds Ashoka.

De cette belle rencontre est née la Fondation SEVE, *Savoir Être et Vivre Ensemble*, dont la raison d'être se définit en quelques mots.

Soucieux du mal-être de beaucoup de jeunes et du manque d'adéquation aux grands défis sociétaux d'un enseignement encore trop basé sur l'accumulation des savoirs, nous souhaitons contribuer à un renouvellement de l'éducation. Apprendre aux enfants, dès le plus jeune âge, à raisonner par eux-mêmes, à gérer leurs émotions, à développer leur créativité, à faire preuve d'empathie, à coopérer avec des personnes de cultures différentes, les préparer à devenir des citoyens confiants, actifs et responsables, nous semble fondamental. La Fondation SEVE a pour objet de soutenir, faire connaître et accompagner les projets qui favorisent le développement de compétences de savoir-être et de savoir-vivre ensemble ou, pour reprendre la formule de Montaigne, qui privilégient « les têtes bien faites aux têtes bien pleines ».

Un site Internet (www.fondationseve.org) met en réseau les acteurs éducatifs favorisant le savoir-être et le vivre-ensemble, et notamment les activités philosophiques et méditatives dans les écoles. J'invite les personnes et les associations qui le souhaitent à se manifester (fondationseve@gmail.com). La fondation soutiendra financièrement, dans la mesure de ses moyens, des associations et décernera chaque année un prix pour récompenser les initiatives qui favorisent l'éveil de la conscience des enfants et les capacités de savoir-être et savoir-vivre ensemble. Martine et moi-même nous sommes engagés auprès de la Fondation de France – qui va gérer les ressources allouées à la fondation – à verser chaque année une partie de nos revenus personnels pour développer SEVE, mais toute personne, ou entreprise, voulant nous soutenir peut aller sur le site Internet de la Fondation SEVE. Les besoins sont évidemment immenses.

L'un des principaux objectifs de la fondation consiste à organiser et financer une école de formation d'animateurs et de formateurs aux ateliers méditation et philo. Ce cursus, entièrement gratuit, s'étale sur une année scolaire et va multiplier le nombre de personnes capables de mener des ateliers philo et des séances de méditation guidée. Se constituera ainsi un réseau de formateurs susceptibles d'intervenir directement auprès des enseignants, soit durant leurs études dans les ESPE, soit à travers la formation continue proposée par le ministère de l'Éducation nationale et les différentes académies.

J'ai parlé de ce projet à mon ami Abdennour Bidar, inspecteur général de philosophie, et l'ai invité à venir assister à un atelier. Lui-même convaincu de l'importance de développer les débats philosophiques dès l'école primaire, à travers les cours hebdomadaires d'instruction morale et civique, il m'a fait rencontrer la ministre de l'Éducation nationale, qui s'est montrée très favorable à ce projet. SEVE travaillera donc en lien étroit avec ce ministère, mais aussi avec toutes les écoles privées intéressées, que j'invite à se manifester. Une formation de cinquante personnes – assurée par moi-même et une dizaine d'autres intervenants (rodés à la pratique de la méditation, aux ateliers philo, ou psychologues pour enfants) – a démarré en septembre 2016 en région Rhône-Alpes et d'autres sont mises en place dans diverses régions de France. Pour les suivre (ou y participer en tant que formateur selon ses compétences), chacun peut se manifester sur le site Internet de SEVE. Des journées de présentation de l'enseignement et de sélection des candidats seront organisées en France, en Belgique, en Suisse et au Québec.

Vaclav Havel disait que face à la révolution technologique et aux bouleversements issus de la globalisation très rapide du monde – avec tous les soubresauts tragiques qui en résultent et que nous vivons en ce moment – il fallait une révolution de la conscience humaine. L'éducation, parce qu'elle éveille la conscience d'un enfant, et lui permet d'acquérir une intelligence émotionnelle et un esprit critique face aux idéologies politiques ou religieuses, constitue à moyen et long termes la clé pour améliorer le vivre-ensemble. Il est donc urgent d'y travailler !

Remerciements

Je tiens tout d'abord à remercier du fond du cœur les enfants des dix-huit classes qui ont participé aux ateliers philo. Merci à chacun d'entre vous pour votre enthousiasme à pratiquer la méditation et la philosophie. Vous m'avez aussi beaucoup touché et apporté : je ne vous oublierai jamais, même si nous ne sommes plus appelés à nous revoir pour faire des ateliers. Merci vivement aussi à vos parents, qui ont accepté que vous soyez filmés et photographiés.

Merci aux enseignants pour leur accueil si chaleureux, et d'abord à celles qui m'ont ouvert leurs classes au fil des mois pour des ateliers réguliers : Bernadette, Sylvie, Nathalie, Élodie et Lana à Genève, où cette aventure a commencé ; Nathalie Casta et Michèle Bianucci à Brando ; Catherine Houzel à Paris ; Stéphanie Lauras et Sophie Maire à Pézenas ; Stéphanie Derayemaeker et Aurélie Néruez à Molenbeek ; Cathy Bocobza à Mouans-Sartoux.

Merci aussi aux directeurs et aux directrices des écoles, et à tous ceux, au sein des écoles ou des mairies, qui ont favorisé la tenue de ces ateliers. Un grand merci notamment à Catherine Firmenich, Marie-Jeanne Trouchaud (et pour ses belles photos et son implication dans la Fondation SEVE!), Alain Vogel-Singer, Florence Loth, Gérard Duffour, Marie-Pierre Vidal, Paul Lestiennes, François Combescure, Daphné Tailleux. Merci de tout cœur à Isabelle Wieber pour l'atelier philo réalisé avec des enfants handicapés à Nice et à Linda Maola et Lotti Lattrous pour celui mené à l'orphelinat d'Abidjan.

Un merci tout particulier à Liliana Lindenberg pour la réalisation des cahiers photo du livre, son rôle actif dans la Fondation SEVE, et son merveilleux sourire qui m'a accompagné tout au long de cette aventure. Un grand merci à Stella Delmas pour sa patiente retranscription des ateliers philo, à Stephen Sicard (Logos) pour la musique magnifique qu'il a composée pour le CD de méditation guidée, et à Olivier Barbarroux pour son aide précieuse lors de la rédaction des fiches notionnelles.

Je remercie très chaleureusement tous ceux qui animent avec moi la Fondation SEVE, à commencer par Martine Roussel-Adam, Abdennour Bidar ; et aussi

Philippe Lagayette, Dominique Lemaitre et Mathilde Lerosier de la Fondation de France ; sans oublier Marie-Thérèse Pirolli, Nathalie Brochard, Edwige Chirouter, Patrick Tharrault, Bruno Giuliani, Véronique Inacio, Nastasya van der Straten Waillet, Caroline Lesire et Ilios Kotsou de l'association Émergences.

Un grand merci enfin à Francis Esménard pour sa patience amicale et à mon éditrice, Lucette Savier, ainsi qu'à Lise Boëll, pour leurs conseils judicieux lors de la réalisation de ce livre.

Liens utiles :

La Fondation SEVE : www.fondationseve.org
Contact : fondationseve@gmail.com

Vous pouvez retrouver l'actualité de Frédéric Lenoir sur sa page Facebook :
https://www.facebook.com/Frederic-Lenoir-134548426573100/
et sur son site :
www.fredericlenoir.com

Bibliographie

La philosophie avec les enfants

Ouvrages pratiques

● CHIROUTER Edwige, *Ateliers de philosophie à partir d'albums de jeunesse*, Hachette, «Pédagogie pratique», 2016.

● COULON Jacques (de), *Imagine-toi dans la caverne de Platon...*, Payot, «Payot Psy», 2015.

● POUYAU Isabelle, *Préparer et animer des ateliers philo* (cycles 1 et 2), Retz, 2016.

● THARRAULT Patrick, *Pratiquer le débat-philo à l'école*, Retz, 2016.

● TOZZI Michel, *La morale, ça se discute...*, Albin Michel Jeunesse, 2014.

Ouvrages théoriques

● ABÉCASSIS Nicole-Nikol, *Lettre aux enfants gâtés!*, Les Éditions Ovadia, «L'École des Savoirs», 2015.

● BEGUERY Jocelyne, *Philosopher à l'école primaire*, Retz, 2012.

● CHIROUTER Edwige, *L'Enfant, la Littérature et la Philosophie*, L'Harmattan, «Pédagogie : crises, mémoires, repères», 2015.

● GALICHET François, *Pratiquer la philosophie à l'école*, Nathan, 2004.

● GENEVIÈVE Gilles, *La Raison puérile*, Labor, «Quartier libre», 2006.

● LALANNE Anne, *La Philosophie à l'école*, L'Harmattan, 2009.

• LELEUX Claudine (sous la dir. de), *La Philosophie pour enfants*, De Boeck, «Pédagogies en développement», 2008.

• LOOBUYCK Patrick, SÄGESSER Caroline, *Le Vivre ensemble à l'école*, Espace de libertés, «Liberté j'écris ton nom», 2014.

• PETTIER Jean-Charles, LEFRANC Véronique, *Un projet pour… philosopher à l'école*, Delagrave, «Guide de poche de l'enseignant», 2006.

• PETTIER Jean-Charles, DOGLIANI Pascaline, DUFLOCQ Isabelle, *Un projet pour… apprendre à penser et réfléchir à l'école maternelle*, Delagrave, «Guide de poche de l'enseignant», 2010.

• SASSEVILLE Michel, *La Pratique de la philosophie avec les enfants*, Presses de l'Université Laval, «Dialoguer», 2000, 2009.

• SOLEILHAC Alain, *Renforcer la confiance en soi à l'école*, Chronique sociale, «Savoir communiquer», 2010.

• TOZZI Michel, *Nouvelles pratiques philosophiques*, Chronique sociale, «Comprendre la société», 2012.

• TOZZI Michel (coordonné par), *L'Éveil de la pensée réflexive à l'école primaire*, Hachette Éducation, 2002.

Collections

• La revue *Pomme d'Api* propose des fiches d'accompagnement pédagogique autour des grandes notions de la philosophie. Conçues par Jean-Charles PETTIER, ces fiches permettent de préparer des ateliers philo avec les enfants. On retrouve ces grandes questions dans la collection «Les p'tits philosophes», Bayard Jeunesse.

• La collection «Les Petites Conférences», Bayard Jeunesse, est la forme publiée des conférences pour les enfants (à partir de 10 ans) organisées chaque année par la dramaturge et metteuse en scène Gilberte TSAÏ au Centre dramatique national de Montreuil. Par exemple : *Tu vas obéir!*, de Jean-Luc Nancy, 2014 ; *La Monnaie, pourquoi?*, de Jean-Claude Trichet, 2013.

* «Les petits Platons», éditions Les petits Platons, maison et collection fondées par Jean-Paul MONGIN, évoquent la vie et la pensée des philosophes célèbres. Par exemple : *Les Mystères d'Héraclite*, Yan Marchand, 2015 ; *Moi, Jean-Jacques Rousseau*, Edwige Chirouter, 2012.

* «Les Philos-fables», Albin Michel, de Michel PIQUEMAL, proposent des pistes d'ateliers philo à partir de fables venues du monde entier : *Les Philo-fables pour la Terre*, 2015 ; *Les Philo-fables*, 2008.

* «Chouette penser!», Gallimard Jeunesse, dirigée par Myriam REVAULT D'ALLONNES, aborde sous un angle philosophique des questions très variées. Par exemple : *À table!*, Martine Gasparov, 2014 ; *Pourquoi on écrit des romans...*, Danièle Sallenave, 2010.

* «Les goûters philo», Milan, dont le slogan est «Pour parler de philosophie en classe», a été lancée en 2000 par Michel PUECH et Brigitte LABBÉ. (Certains titres existent sous la forme de CD audio.) Par exemple : *Les Images et les Mots*, Brigitte Labbé et Pierre-François Dupont-Beurier, 2015 ; *Moral et pas moral*, Brigitte Labbé et Pierre-François Dupont-Beurier, 2013.

* Dans les livres de la collection «Philoz'enfants», Nathan Jeunesse, dirigée par Oscar BRENIFIER, les grands thèmes philosophiques sont explorés à partir de six questions. Par exemple : *Qui suis-je?*, 2013 ; *La liberté, c'est quoi?*, 2012.

* «PhiloFolies», Père Castor/Flammarion, où l'approche philosophique se fait par le biais d'une «histoire dont vous êtes le héros». Par exemple : *Et si on parlait de politique?*, Jeanne Boyer, 2014 ; *Comment sais-tu ce que tu sais?*, Jeanne Boyer, 2012.

Film documentaire

* POZZI Jean-Pierre, BAROUGIER Pierre, *Ce n'est qu'un début*, 2010.

Sites Internet

* http://www.philotozzi.com [site de Michel TOZZI]
* http://agsas.fr/spip [Association des groupes de soutien au soutien. Site de Jacques LEVINE]
* http://www.cenestquundebut.com/ [site du documentaire *Ce n'est qu'un début*]
* http://philolabasso.ning.com/ [site de l'association Philolab]
* https://www.facebook.com/chaireUNESCOphiloenfants/ [page Facebook chaire UNESCO «Pratiques de la philosophie avec les enfants»]

Cerveau et psychologie des enfants

* FILLIOZAT Isabelle, «*Il me cherche!*», Jean-Claude Lattès, 2014; Marabout Poche, 2016.
* Dr GUEGUEN Catherine, *Pour une enfance heureuse*, Robert Laffont, 2014; Pocket, 2015.
* Dr SIEGEL Daniel J., PAYNE BRYSON Tina, *Le Cerveau de votre enfant*, Les Arènes, 2015.

La méditation et le yoga avec les enfants

* BILIEN Lise, GARAMOND Élodie, *Zen, un jeu d'enfants. Grandir heureux grâce au yoga et à la méditation*, Flammarion, 2016.
* FLAK Micheline, COULON Jacques (de), *Le Manuel du yoga à l'école*, Payot & Rivages, «Petite Biblio Payot Psychologie», 2016.
* SNEL Eline, *Calme et attentif comme une grenouille*, Les Arènes, 2012.
* Site Internet de l'association Enfance et Attention (association pour le développement de la pleine conscience auprès des enfants et des adolescents) : http://enfance-et-attention.org/ Contact : contact@enfanceetattention.org

Fiction

* *Cœur de cristal*, conte, Robert Laffont, 2014 ; Pocket, 2016.

* *Nina*, avec Simonetta Greggio, roman, Stock, 2013 ; Le Livre de Poche, 2014.

* *L'Âme du monde, conte de sagesse*, NiL, 2012 ; version illustrée par Alexis Chabert, NiL, 2013 ; Pocket, 2014.

* *L'Oracle della Luna*, scénario d'une BD dessinée par Griffo, tome 1 : *Le Maître des Abruzzes* ; tome 2 : *Les Amants de Venise* ; tome 3 : *Les Hommes en rouge* ; tome 4 : *La Fille du sage*, Glénat, 2012-2016.

* *La Parole perdue*, avec Violette Cabesos, roman, Albin Michel, 2011 ; Le Livre de Poche, 2012.

* *Bonté divine !*, avec Louis-Michel Colla, théâtre, Albin Michel, 2009.

* *L'Élu. Le fabuleux destin de George W. Bush. Sa vie, son œuvre, ce qu'il laisse au monde…*, scénario d'une BD dessinée par Alexis Chabert, L'Écho des savanes, 2008.

* *L'Oracle della Luna*, roman, Albin Michel, 2006 ; Le Livre de Poche, 2008.

* *La Promesse de l'ange*, avec Violette Cabesos, roman, Albin Michel, 2004, prix Maison de la Presse 2004 ; Le Livre de Poche, 2006.

* *La Prophétie des Deux Mondes*, scénario d'une BD dessinée par Alexis Chabert, tome 1 : *L'Étoile d'Ishâ*; tome 2 : *Le Pays sans retour*; tome 3 : *Solâna*; tome 4 : *La Nuit du serment*, Vent des savanes, 2003-2008.

* *Le Secret*, fable, Albin Michel, 2001 ; Le Livre de Poche, 2003.

Essais et documents

* *La Puissance de la joie*, Fayard, 2015.

* *François, le printemps de l'Évangile*, Fayard, 2014 ; Le Livre de Poche, 2015.

* *Du bonheur, un voyage philosophique*, Fayard, 2013 ; Le Livre de Poche, 2013, 2015.

* *La Guérison du monde*, Fayard, 2012 ; Le Livre de Poche, 2014.

* *Petit traité de vie intérieure*, Plon, 2010 ; Pocket, 2012.

* *Comment Jésus est devenu Dieu*, Fayard, 2010 ; Le Livre de Poche, 2012.

* *La Saga des francs-maçons*, avec Marie-France Etchegoin, Robert Laffont, 2009 ; Points, 2010.

* *Socrate, Jésus, Bouddha. Trois maîtres de vie*, Fayard, 2009 ; Le Livre de Poche, 2011.

* *Petit traité d'histoire des religions*, Plon, 2008 ; Points Essais, 2011, 2014.

* *Tibet, le moment de vérité*, Plon, 2008, prix Livres et Droits de l'homme de la ville de Nancy ; rééd. sous le titre *Tibet, 20 clés pour comprendre*, Points Essais, 2010.

* *Le Christ philosophe*, Plon, 2007 ; Points Essais, 2009, 2014.

* *Code Da Vinci : l'enquête*, avec Marie-France Etchegoin, Robert Laffont, 2004 ; Points, 2006.

• *Les Métamorphoses de Dieu. La nouvelle spiritualité occidentale*, Plon, 2003, Prix européen des écrivains de langue française 2004 ; rééd. sous le titre *Les Métamorphoses de Dieu. Des intégrismes aux nouvelles spiritualités*, Fayard, «Pluriel», 2005, 2010.

• *L'Épopée des Tibétains. Entre mythe et réalité*, avec Laurent Deshayes, Fayard, 2002.

• *La Rencontre du bouddhisme et de l'Occident*, Fayard, 1999 ; Albin Michel, «Spiritualités vivantes», 2001, 2012.

• *Le Bouddhisme en France*, Fayard, 1999.

Entretiens

• *Dieu. Petites et grandes questions pour athées et croyants*, Entretiens avec Marie Drucker, Robert Laffont, 2011 ; Pocket, 2013.

• *Mon Dieu... pourquoi ?*, Entretiens avec l'abbé Pierre, Plon, 2005.

• *Mal de Terre*, Entretiens avec Hubert Reeves, Seuil, «Science ouverte», 2003 ; Points Sciences, 2005.

• *Le Moine et le Lama*, Entretiens avec Dom Robert Le Gall et Lama Jigmé Rinpoché, Fayard, 2001 ; Le Livre de Poche, 2003.

• *Sommes-nous seuls dans l'univers ?*, Entretiens avec Jean Heidmann, Alfred Vidal-Madjar, Nicolas Prantzos et Hubert Reeves, Fayard, 2000 ; Le Livre de Poche, 2002.

• *Entretiens sur la fin des temps*, Entretiens avec Jean-Claude Carrière, Jean Delumeau, Umberto Eco et Stephen Jay Gould, Fayard, 1998 ; Pocket, 1999.

• *Les Trois Sagesses*, Entretiens avec Marie-Dominique Philippe, Fayard, «Aletheia», 1994.

• *Le Temps de la responsabilité*, Entretiens sur l'éthique, postface de Paul Ricœur, Fayard, 1991 ; Fayard «Pluriel», 2013.

• *Les Risques de la solidarité*. Entretiens avec Bernard Holzer, Fayard, 1989.

• *Les Communautés nouvelles*, Interviews des fondateurs, préface du cardinal Decourtray, Fayard, 1988.

Direction d'ouvrages encyclopédiques

• *La Mort et l'immortalité. Encyclopédie des savoirs et des croyances*, avec Jean-Philippe de Tonnac, Bayard, 2004.

• *Le Livre des sagesses. L'aventure spirituelle de l'humanité*, avec Ysé Tardan-Masquelier, Bayard, 2002, 2005 (poche).

• *Encyclopédie des religions*, avec Ysé Tardan-Masquelier, 2 volumes, Bayard, 1997, 2000 (poche).

Impression CPI Bussière en septembre 2016
Éditions Albin Michel
22, rue Huyghens, 75014 Paris
www.albin-michel.fr
ISBN 972-2-226-32237-1
N° d'édition : 18211/01 – N° d'impression : 2021612
Dépôt légal : octobre 2016
Imprimé en France